+16 45R
10/39

PRISE EN MAIN

Créer son site Web

Daniel-Jean

FIRST
> Interactive

Prise en main Créer son site Web

60, rue Mazarine
75006 Paris – France
Tél. 01 45 49 60 00
Fax 01 45 49 60 01
E-mail : firstinfo@efirst.com
Web : www.editionsfirst.fr

ISBN : 978-2-7540-1812-8
Dépôt légal : Avril 2010
Imprimé en France
par IME, 3, rue de l'Industrie, 25112 Baume-les-Dames Cedex

Mise en page : pbi1@mac.com

Table des matières

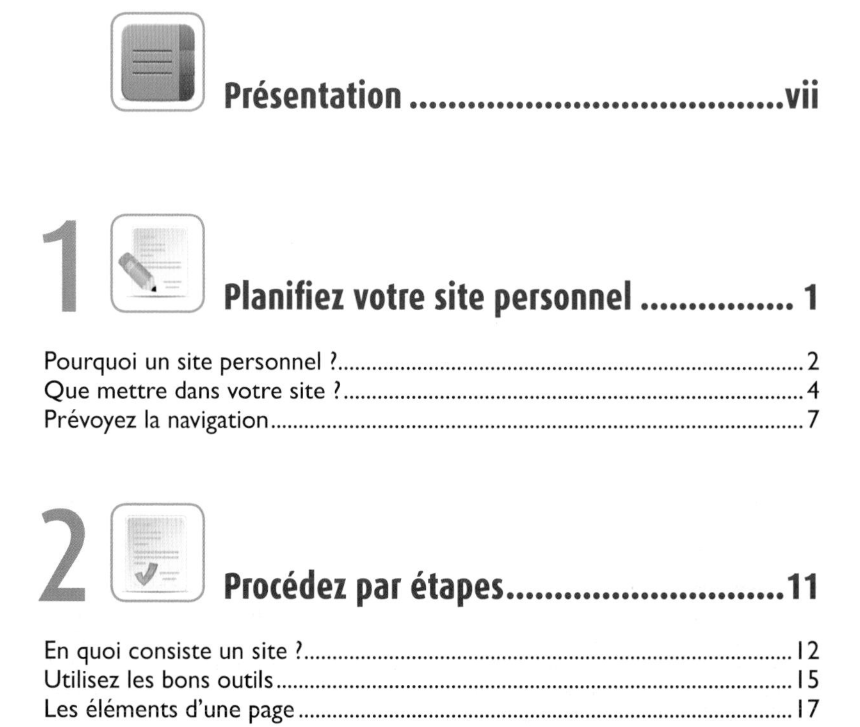

Présentation

Bienvenue dans « Prise en main Création de site Web », livre de poche réalisé en coopération avec le journal *Micro Hebdo*, le premier magazine des nouvelles technologies et de la micro-informatique. Chaque semaine, *Micro Hebdo* vous guide dans l'actualité du numérique et vous permet de faire les bons choix pour vos achats de matériels et de logiciels.

Pour vous faciliter la création de votre site Web personnel, ce « Prise en main » se veut à la fois pédagogique et pratique. Il se compose de douze chapitres représentant les principaux aspects de la création Web à maîtriser rapidement. Pour chacun d'eux, vous trouverez des rubriques pas à pas, avec des conseils et des astuces claires et précises.

Vous verrez qu'il est facile de créer un site Web, à l'aide du logiciel gratuit NVU, ou de gérer un blog. Vous avez besoin d'un minimum de connaissances des langages XHTML et CSS que vous acquerrez grâce à cet ouvrage. Pour aller encore plus loin et dynamiser vos pages, vous apprendrez aussi les premières notions de la programmation en JavaScript et en PHP. Mais il ne suffit pas de créer le site ; il faut le rendre accessible aux internautes, le maintenir et le faire évoluer. Ces questions d'hébergement, de référencement et d'évolution auront toutes leur place dans ce livre.

Les équipes des Éditions First et du journal *Micro Hebdo* vous souhaitent une bonne lecture et espèrent que ce livre vous aidera à créer un site personnel dont vous serez satisfait et même fier.

Chapitre 1

Planifiez votre site personnel

Dans ce chapitre

- ✓ Pourquoi un site personnel
- ✓ Que mettre dans votre site
- ✓ Prévoyez la navigation

Pourquoi un site personnel ?

À force de surfer sur le Web, vous avez fini par vous dire « Pourquoi pas moi ? Pourquoi n'aurais-je pas mon propre site ? ». Mais, une fois décidé, vous ne pouvez pas vous lancer à l'aveuglette ; il n'y a pas de place pour l'improvisation : il faut un minimum de prévision et de préparation. Vous devez planifier votre site, c'est-à-dire déterminer son contenu.

Pour cela, vous devez vous demander pourquoi vous désirez créer un site qui vous soit propre et en quoi il peut intéresser les visiteurs. Voici quelques sujets de site possibles.

Vous

Dit ainsi, cela peut paraître un peu narcissique. Mais vous pouvez souhaiter vous faire connaître, donner des informations qui vous concernent, raconter des événements qui vous sont arrivés, des expériences que vous avez vécues, parler des livres, musiques ou films que vous aimez.

Vous pouvez créer un tel site à l'occasion d'un voyage lointain pour permettre à votre famille d'avoir de vos nouvelles, de voir vos photos ou même de vous entendre puisqu'on peut incorporer des éléments sonores à une page Web. Cette sorte de site « journal » peut très souvent être réalisée sous la forme d'un blog.

Coup de main

Attention, votre site ne peut en aucun cas être votre « journal intime ». En effet, tous les internautes peuvent consulter votre site. Vous ne pouvez donc y mettre que des informations qui peuvent être vues par tout le monde sans inconvénient ni pour vous, ni pour personne.

De fait, un tel site vitrine se comprend si vous jouissez déjà d'une certaine célébrité, ou si vous souhaitez faire connaître les œuvres (peinture, musique, livres…) que vous produisez. Dans ce cas, vous pouvez tout aussi bien concevoir un site spécialisé, et non généraliste, comme nous l'envisageons ci-dessous.

Vos idées

Vous avez des idées qui vous tiennent à cœur dans un domaine particulier et vous voulez les faire partager à toute la planète ? Créez le site « Ma philosophie » ou

« Mon credo ». Vous pouvez aussi envisager un site gazette personnelle où vous faites part à la terre entière de vos opinions, de vos pensées et de vos réactions à l'actualité.

Coup de main

Pas besoin d'être un politicien pour exposer vos idées politiques. En tous cas, maintenant, tous les hommes politiques et tous les partis ont leur site, souvent sous la forme d'un blog.

Vos passions

Faites connaître ce qui vous tient le plus à cœur, ce qui vous passionne. Cela peut être l'occasion de communiquer avec des personnes du bout du monde qui ont les mêmes intérêts, et, qui sait, de les rencontrer.

- ✓ **Vos passe-temps.** Que ce soit la pêche à la ligne, les voyages, la photo, le bricolage, *etc.*, tout peut être l'occasion de partager vos expériences, vos images, vos astuces, vos blagues ou de parler de vos goûts.
- ✓ **Vos collections.** Si vous êtes collectionneur, vous pouvez décrire votre collection. Vous pourrez échanger des informations avec des internautes qui s'intéressent au même domaine et, éventuellement, enrichir votre collection si un correspondant vous contacte pour vous faire une proposition d'achat ou d'échange.
- ✓ **Vos œuvres.** Si vous pratiquez un art, faites connaître votre production. Pour la peinture ou la photo, créez une galerie d'images. Pour la musique, fournissez des clips à télécharger. Pour la littérature, proposez des extraits ou même des textes entiers.

Nous ne parlons ici que de se faire connaître, pas du tout de vendre en ligne.

Vos connaissances

Vous possédez un savoir pointu dans un domaine particulier. Créez un site pour le partager. Nous donnerons dans ce livre l'exemple d'un micro-site sur les polyèdres réguliers.

De même, dans des domaines moins scientifiques, vous pouvez faire connaître vos recettes de cuisine, vos astuces de bricolage, vos bonnes adresses (hôtels, restaurants, pâtisseries, *etc.*), en un mot, tout ce qui résulte de vos expériences personnelles. De tels sites sont légion, mais ce n'est pas une raison pour ne pas ajouter le vôtre.

Un site familial

Mais un site personnel n'est pas forcément individuel. Si votre famille est très dispersée géographiquement, par exemple, vous pouvez y consacrer un site afin que tous les membres gardent le contact et soient au courant des événements familiaux. Ce sont en principe les grands-parents qui gèrent ce type de sites ; ils y incorporent beaucoup de photos.

Coup de main

Un autre site à mi-chemin entre personnel et collectif, c'est le site d'une **association**. Un tel site participe de plusieurs des idées vues ci-dessus : l'association veut faire connaître ses idées, ses activités, son actualité. Le site (fictif) « Les Amis des Chats du 10e » nous servira d'exemple dans ce livre. On peut rattacher à cette catégorie le site du *fan-club* d'une vedette.

Que mettre dans votre site ?

Pour définir de quoi votre site sera fait, vous devez procéder en deux temps.

- ✓ D'abord recenser les informations à incorporer. En vrac, en quelque sorte.
- ✓ Ensuite les répartir entre les différentes pages Web qui composent votre site.

Site multipages

Au début de l'Internet, on constituait assez souvent des sites formés d'une seule page Web. Donc la consultation faisait intervenir des défilements interminables. On s'est vite rendu compte que ce n'était pas satisfaisant et la tendance actuelle est de partager le site en plusieurs pages Web tenant, si possible, entièrement sur l'écran. Cette dernière condition n'est pas impérative : vous n'êtes pas maître de la résolution d'écran de vos visiteurs ni de la taille de fenêtre qu'ils donnent à leur navigateur.

Coup de loupe

On appelle *page Web* ce qui s'affiche d'un seul coup dans le navigateur. Une page Web peut être plus grande que l'écran ; on visualise les parties non visibles par défilement de l'écran : on n'a jamais besoin de recourir à un lien pour y accéder. On verra qu'une page Web correspond à un fichier.

Mais on essaie autant que possible de se rapprocher de cette condition afin de minimiser les défilements. Une autre condition est que chaque page Web traite une partie bien délimitée du sujet du site, donc soit associée à une rubrique bien définie. Dans l'autre sens, on évitera de trop multiplier les pages pour que l'information ne soit pas atomisée.

En principe, tout site comporte une *page d'accueil* qui est la première page qui apparaît lorsqu'un internaute appelle le site. La page d'accueil doit définir le site avec précision, donc dire ses buts et résumer son contenu. Ensuite, elle doit donner accès aux différentes rubriques du site par des liens conduisant chacun à la page Web associée à la rubrique.

Voyons cela en pratique en parcourant l'étape de conception pour les deux sites exemples que nous traiterons d'un bout à l'autre dans ce livre.

Exemples

Les polyèdres réguliers convexes

On sait depuis les géomètres grecs de l'Antiquité qu'il n'existe que cinq polyèdres réguliers convexes, qu'on appelle les « solides de Platon ». La page d'accueil rappellera la définition d'un polyèdre régulier convexe et elle offrira les liens vers les autres pages.

Ensuite, on aura une page intitulée « Les 5 solides de Platon » qui démontrera le fait qu'il ne peut exister que 5 polyèdres réguliers convexes.

Enfin, nous créerons cinq pages, une pour chaque polyèdre avec description et dessin.

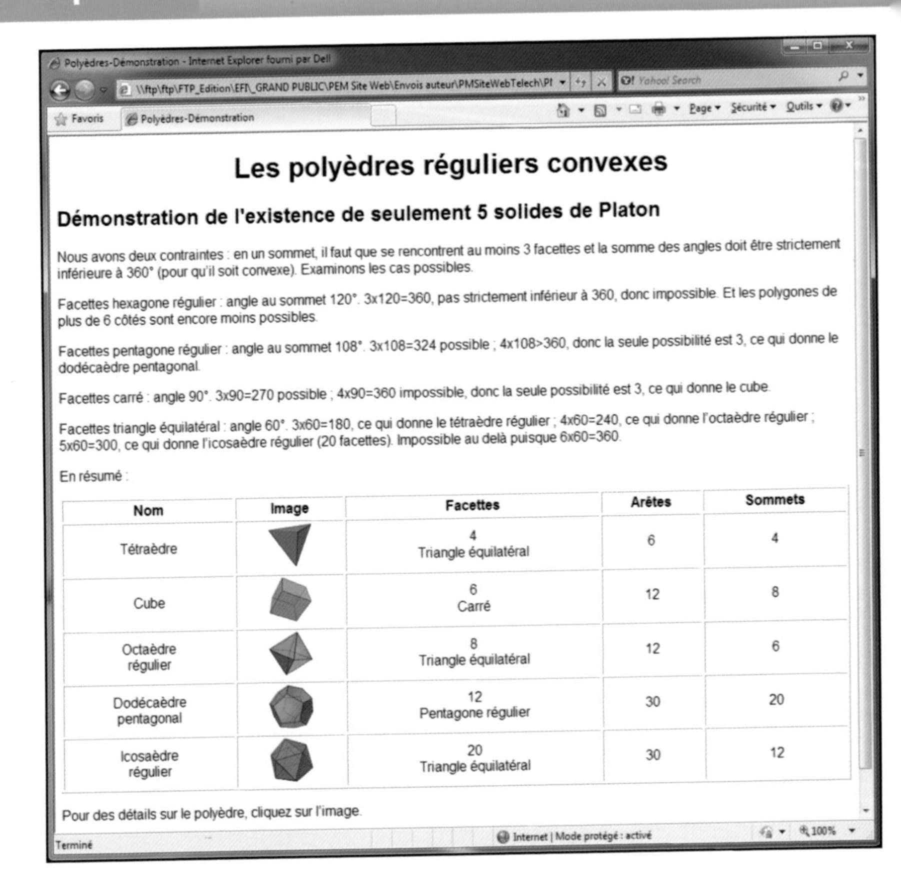

Les polyèdres réguliers convexes

Démonstration de l'existence de seulement 5 solides de Platon

Nous avons deux contraintes : en un sommet, il faut que se rencontrent au moins 3 facettes et la somme des angles doit être strictement inférieure à 360° (pour qu'il soit convexe). Examinons les cas possibles.

Facettes hexagone régulier : angle au sommet 120°. 3x120=360, pas strictement inférieur à 360, donc impossible. Et les polygones de plus de 6 côtés sont encore moins possibles.

Facettes pentagone régulier : angle au sommet 108°. 3x108=324 possible ; 4x108>360, donc la seule possibilité est 3, ce qui donne le dodécaèdre pentagonal.

Facettes carré : angle 90°. 3x90=270 possible ; 4x90=360 impossible, donc la seule possibilité est 3, ce qui donne le cube.

Facettes triangle équilatéral : angle 60°. 3x60=180, ce qui donne le tétraèdre régulier ; 4x60=240, ce qui donne l'octaèdre régulier ; 5x60=300, ce qui donne l'icosaèdre régulier (20 facettes). Impossible au delà puisque 6x60=360.

En résumé :

Nom	Image	Facettes	Arêtes	Sommets
Tétraèdre		4 Triangle équilatéral	6	4
Cube		6 Carré	12	8
Octaèdre régulier		8 Triangle équilatéral	12	6
Dodécaèdre pentagonal		12 Pentagone régulier	30	20
Icosaèdre régulier		20 Triangle équilatéral	30	12

Pour des détails sur le polyèdre, cliquez sur l'image.

*L'association Les Amis des Chats du 10e*

Ce site va être un peu plus complexe que le précédent. La page d'accueil définira l'association.

Ensuite, des pages permettront d'adhérer à l'association. Un certain nombre de pages seront d'accès réservé aux adhérents : elles offriront un annuaire des membres et décriront les activités spéciales qui leur sont réservées.

Les autres pages seront accessibles à tous. On aura d'abord une page d'actualités et des galeries de photos, certaines pouvant être fournies par des adhérents. Ensuite, on aura les rubriques principales Choix de votre chat (avec description des principales races), Conseils de nourriture, Conseils de comportements avec votre chat, Liste de livres et films sur les chats, *etc.*

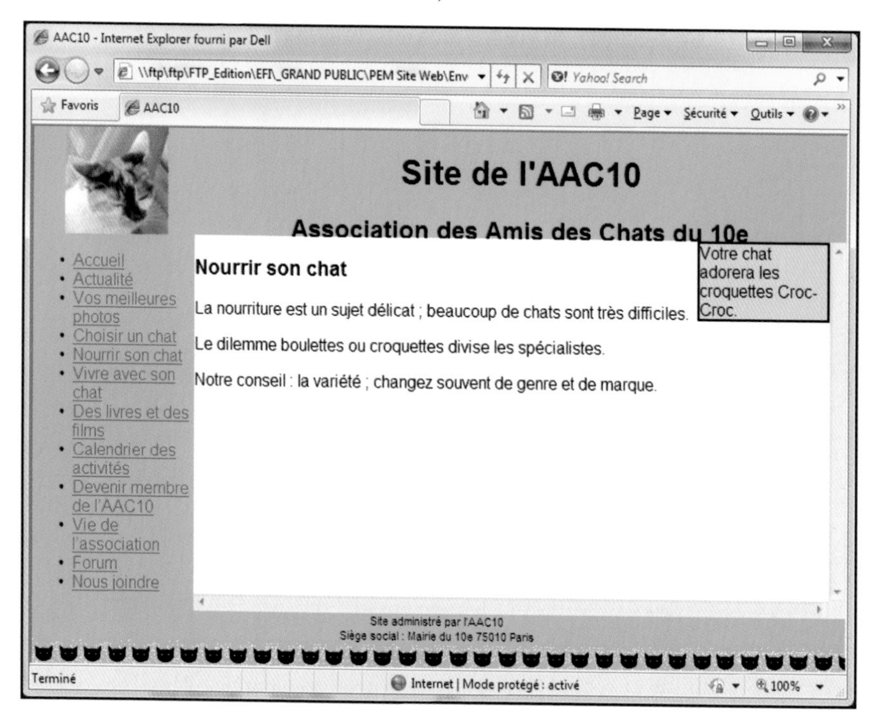

Prévoyez la navigation

Un impératif constant dans la conception d'un site Web est l'ergonomie et l'agrément. Si votre site n'est pas facile et agréable à visiter, vous n'aurez pas de visiteurs ; en tous cas, ils ne reviendront pas.

La navigation

La navigation, c'est le moyen de passer d'une page à l'autre du site. À tout moment, le visiteur doit savoir comment il est arrivé à telle ou telle page et comment faire pour atteindre telle ou telle autre page. La navigation va dépendre principalement de la structure du site, laquelle doit refléter la structure logique des informations que vous souhaitez fournir.

✓ **Structure simple.** Dans la structure la plus simple, qui est celle de notre exemple des polyèdres, la page d'accueil présente les liens vers les différentes rubriques.

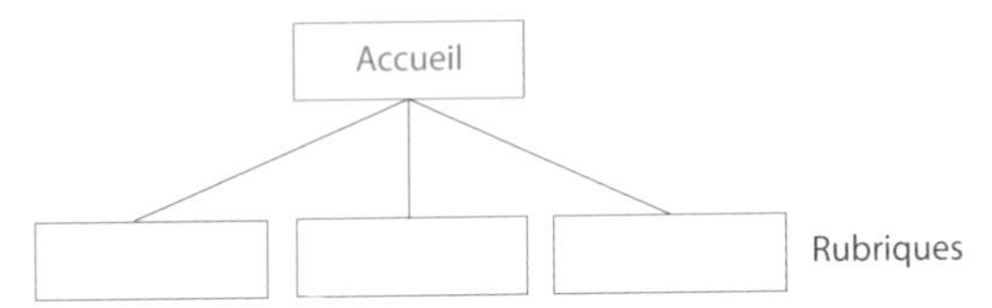

✓ **Structure dite « orthogonale ».** Dans une structure un peu plus complexe, où les rubriques peuvent avoir des sous-rubriques, la page d'accueil présente les liens vers les rubriques principales, tandis que chaque page de rubrique présente les liens vers ses sous-rubriques.

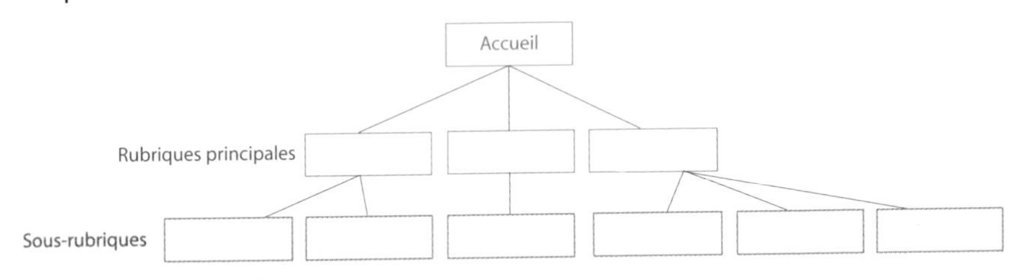

Cette structure est dite orthogonale car, très souvent, les liens vers les rubriques principales sont disposés en ligne en haut de la page d'accueil alors que les liens vers les sous-rubriques sont présentés en colonne à gauche de la page.

✓ **Structure menu.** Si la structure devient plus complexe, avec trois niveaux ou plus, il faut afficher le plan du site. Si les éléments du plan sont les liens vers les pages correspondantes, alors ce plan fonctionne comme un menu. L'idéal est que ce menu soit visible en permanence, ce qui permet au visiteur d'aller où il veut à tout moment.

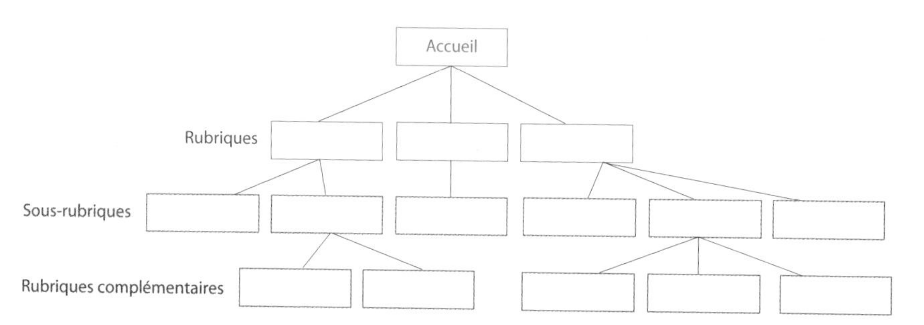

✓ **Structure linéaire.** Lorsque les pages d'un site sont à consulter dans l'ordre, comme un livre ou un cours magistral, chacune propose un lien **Page suivante** et la dernière affiche **Retour à la 1re page**. On peut aussi avoir les liens inverses **Page précédente**, qui sont illustrés par les doubles flèches dans la figure ci-dessous.

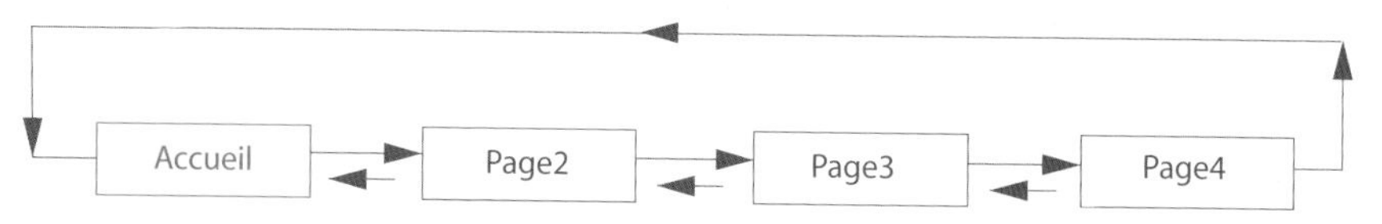

Pensez à la présentation

Un autre moyen important pour faciliter la visite et rendre votre site attrayant est de soigner la présentation des pages. Trois éléments sont à prendre en compte dès la conception du site : agrément de la page, adéquation avec le contenu et le public, ergonomie, personnalité du site reconnaissable.

✓ **Agrément de la page.** La disposition doit être la plus claire possible avec des titres bien visibles. Nous avons déjà dit que la page doit autant que possible tenir en un seul écran et elle doit traiter un seul sujet.

✓ **Adaptation aux visiteurs prévus.** Les styles employés doivent être en harmonie avec le sujet et convenir aux visiteurs visés. Ainsi, un sujet scientifique pointu aura une disposition sobre. Au contraire, pour un site de distraction, on adoptera une présentation plus gaie et voyante, toutefois sans aller trop loin.

✓ **Personnalité du site.** Adoptez une présentation homogène sur toutes les pages afin de donner à votre site une personnalité bien marquée et reconnaissable.

Chapitre 2

Procédez par étapes

Dans ce chapitre

- ✓ En quoi consiste un site
- ✓ Utilisez les bons outils
- ✓ Les éléments d'une page

En quoi consiste un site ?

Cette fois, nous passons aux choses sérieuses : vous allez commencer à vous transformer en *webmaster*. Le webmaster d'un site, c'est l'auteur principal des pages du site et le responsable de son administration. Pour un grand site, il dépend du propriétaire, souvent une organisation ou une entreprise, et il préside une équipe de programmeurs, de graphistes, *etc*. Pour un petit site personnel ou associatif auquel nous nous bornons dans ce livre, il cumule toutes ces fonctions.

Coup de loupe

Un site Web n'est rien d'autre qu'un ensemble de fichiers, au moins un pour chaque page Web. Lorsqu'une page Web est appelée, soit par frappe de son adresse dans la zone adresse du navigateur, soit par clic sur un lien, le fichier principal de la page (plus quelques fichiers annexes) est chargé à partir du réseau sur le disque dur de la machine du visiteur, puis le navigateur l'interprète pour produire l'affichage de la page.

Le fichier principal d'une page Web fournit une description de la page dans le langage XHTML. Il a le plus souvent l'extension .htm ou .html. Il peut être remplacé par un fichier .php qui contient un programme de génération de la page sur le moment exécuté sur le serveur. Les fichiers annexes sont des images, des feuilles de styles, *etc*.

Les fichiers .htm

Mécanisme fondamental

Les deux éléments suivants vont énormément faciliter votre travail de webmaster.

Le fichier .htm est un fichier texte

Il est donc lisible par les humains et il suffit d'un traitement de texte élémentaire pour le créer. Le fichier est formé de textes qui apparaîtront tels quels sur la page, mélangés à des instructions qui agissent sur la présentation des textes ou incorporent des éléments comme les images ou les liens.

Le fichier .htm peut être essayé en local

Le navigateur interprète le fichier .htm tel qu'il se trouve sur le disque dur du visiteur après avoir été téléchargé depuis le réseau. Mais si le fichier a été écrit directement sur le disque, cela ne fait aucune différence : le navigateur pourra l'interpréter.

Donc voici les étapes que doit suivre un webmaster pour créer une page Web.

1. Écrire le texte du fichier .htm sur son disque.
2. Faire interpréter ce fichier par son navigateur pour vérifier l'effet produit.
3. Apporter éventuellement des corrections.
4. Mettre la page sur le réseau à la disposition des internautes. Cette étape s'appelle la *mise en ligne* ; elle nécessite un hébergement (voir chapitre 9) et vous devez envoyer les fichiers chez l'hébergeur par un logiciel de FTP (nous y reviendrons en détail plus loin dans ce chapitre).

Coup de main

Il existe sur le marché plusieurs navigateurs dont Internet Explorer, Firefox, Opera, Safari, Google Chrome (du plus répandu au moins utilisé). Ces navigateurs interprètent les pages de différentes manières. Un webmaster sérieux doit donc toujours essayer ses pages avec plusieurs navigateurs, afin de s'assurer qu'elles fonctionneront bien chez un maximum de visiteurs.

Mais ce problème ne se pose que pour des pages très élaborées qui font appel à des ressources pointues (comme JavaScript ou CSS) et il s'estompe progressivement car les versions récentes des navigateurs obéissent de mieux en mieux aux normes.

Nous n'aborderons dans ce livre que des méthodes « passe-partout » communes à tous les navigateurs ; donc vous n'aurez pas à vous préoccuper de ce problème qui appartient plutôt au passé du Web.

Adresses et noms de fichiers

Pour appeler une page Web, le visiteur tape dans la ligne adresse du navigateur une désignation du fichier de la forme :

```
http://www.univ-paris1.fr/accueil.htm
```

Site — Fichier

Une telle adresse s'appelle une URL (*Uniform Resource Locator*).

La partie site est composé d'un protocole (c'est http:// pour les sites Web) et du nom du site. Entre le nom du site et le nom du fichier, on peut trouver une désignation de dossier et sous-dossier, mais nous ne rencontrerons pas ce cas de figure dans ce livre.

Si, au lieu de la partie site, vous indiquez votre disque et un dossier, alors le navigateur affichera le fichier page qui est sur votre disque : c'est ainsi que vous pourrez vérifier votre page. Une autre manière de vérifier votre page est de faire glisser le nom du fichier sur l'icône du navigateur qui se trouve sur le Bureau, ou encore d'utiliser la commande **Ouvrir avec**.

Page d'accueil par défaut

Si vous n'indiquez que le site, sans spécifier de fichier, alors le serveur fournit une page par défaut qu'on appelle par définition la page d'accueil du site. Les visiteurs ne peuvent pas faire autrement, car, a priori, ils ne peuvent pas connaître les noms de fichiers décidés par le webmaster. Normalement, les serveurs prennent index.htm (ou .html) comme page par défaut. Donc vous, en tant que webmaster, devez donner ce nom au fichier que vous créez comme page d'accueil.

Coup de loupe

Toute erreur sur un nom de fichier fait apparaître le message d'erreur « Impossible d'afficher la page… ». Donc, vous ne devez pas vous tromper dans les adresses cibles de vos liens, ou les noms de fichiers images que vous implantez *etc*. En particulier, les serveurs fonctionnent souvent sous UNIX ; or ce système ne considère pas comme équivalentes les majuscules et les minuscules dans les noms de fichiers. Le mieux est que vous utilisiez systématiquement des minuscules.

De même, si vous spécifiez .html au lieu de .htm ou vice-versa, le fichier ne sera pas trouvé. Spécifiez tous vos fichiers en .htm, cela fera toujours une lettre de moins à taper et vous ne risquerez pas de confusion.

Les fichiers annexes

Le fichier .htm spécifie l'essentiel de la page, mais il peut se référer à des fichiers annexes pour implanter certains éléments dans la page. Ces fichiers seront téléchargés en même temps que le fichier .htm.

✓ **Images.** Les fichiers images que les navigateurs savent afficher ont les extensions .bmp (peu recommandés, car encombrants), .gif (peu compressés ;

permettent certaines animations), .jpg (très économiques en taille, donc particulièrement adaptés aux photos) et .png.

- ✓ **Feuilles de styles externes.** Un tel fichier a l'extension .css et contient des spécifications de mise en forme de la page dans le langage CSS (voir chapitre 5).
- ✓ **Programmes JavaScript.** Pour animer et dynamiser vos pages, vous aurez besoin de programmes exécutés sur la machine du visiteur. On emploie pour cela le langage JavaScript (voir chapitre 7). Lorsque le programme est implanté dans un fichier externe, l'extension est .js.
- ✓ **Documents.** La page peut aussi se référer à des documents .pdf (d'Acrobat), ou même .doc (de Word). Le document sera visualisé dans une fenêtre annexe, à condition que le visiteur ait le logiciel convenable installé sur son ordinateur. Dans le cas contraire, le navigateur proposera de télécharger le document.

Utilisez les bons outils

Voyons maintenant les logiciels qui vous seront utiles dans votre travail de webmaster. Nous n'utiliserons que des programmes dont nous sommes sûrs qu'ils existent déjà sur votre ordinateur ou alors qui sont téléchargeables gratuitement.

Pour télécharger un logiciel, la marche à suivre est très simple : appelez Google (ou un autre moteur de recherche) avec les mots clés « télécharger » et le nom du logiciel. Vous aurez alors un choix de sites d'où vous pourrez télécharger le logiciel souhaité.

Logiciels de création

Il existe un certain nombre de logiciels qui permettent de créer une page Web ou même un site complet sans aucune connaissance des langages du Web XHTML, CSS et encore moins des langages de programmation JavaScript et PHP.

Certains de ces logiciels, comme Dreamweaver, sont très perfectionnés. La principale qualité dont se targuent certains de ces logiciels est d'être WYSIWYG (What You See Is What You Get), c'est-à-dire qu'ils donnent à l'utilisateur une vue exacte de l'effet produit ; c'est un beau rêve. Dreamweaver s'en rapproche, mais il est payant comme l'est FrontPage.

Nous consacrons le chapitre 3 de ce livre à NVU, un logiciel gratuit bien qu'assez perfectionné. Dans la même catégorie, on trouve FrontPage Express, Web Builder, Netlor Studio, entre autres.

Mais le principal défaut de cette catégorie est que ces logiciels sont tout de même limités. Si l'on veut avoir un contrôle suffisant de la page Web produite, il faut pouvoir juger du texte généré et être capable de le modifier, donc connaître un minimum des langages XHTML et CSS. Ce livre va vous aider à acquérir ces connaissances de base.

Éditeurs élémentaires

Pour créer de toutes pièces les fichiers du site, sachant que ces fichiers sont des fichiers texte, il suffit d'un traitement de texte élémentaire comme le Bloc-notes Windows ou BBEdit sur Mac.

Si vous trouvez le Bloc-notes trop élémentaire, vous pouvez télécharger Notepad2. Il a entre autres l'avantage de mettre en évidence les mots clés du langage utilisé.

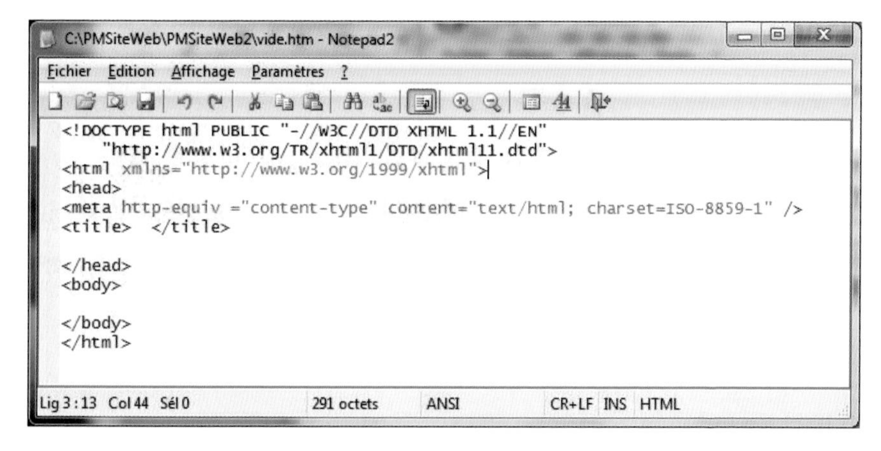

En tous cas, vous devez éviter d'utiliser un traitement de texte trop perfectionné comme Word car un tel logiciel incorpore au fichier des éléments de mise en forme qui le rendent inutilisable par les navigateurs. Si vous utilisez WordPad, vous devrez faire les sauvegardes en mode « plain text » (texte pur).

Logiciels de FTP

Une fois que vous avez créé les fichiers de votre site, vous devez les mettre en ligne, c'est-à-dire les rendre visibles sur l'Internet. Pour cela, vous devez signer un contrat avec un hébergeur, entreprise qui possède des ordinateurs très puissants reliés en permanence sur l'Internet.

L'hébergeur va consacrer de la place pour votre site sur un de ses disques et vous attribuer un nom de domaine qui formera l'essentiel de l'URL de votre site. Pour envoyer vos fichiers depuis votre disque où vous les avez créés vers la zone de disque qui vous est attribuée chez l'hébergeur, vous avez besoin d'un logiciel de FTP (*File Transfer Protocol*). En principe, l'hébergeur vous en fournit un, mais vous pouvez également en télécharger un gratuitement.

L'un des meilleurs est FileZilla dont voici l'écran.

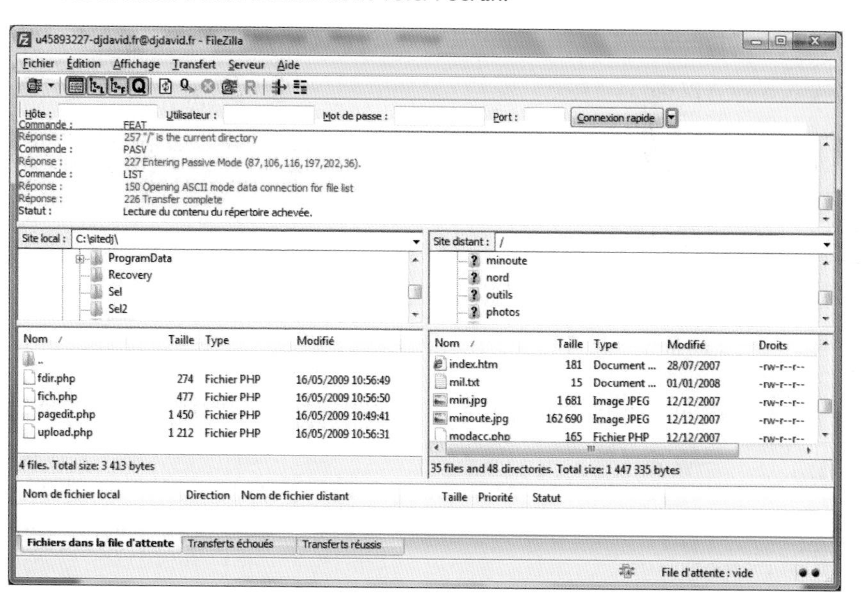

Son mode d'emploi est extrêmement simple. Pour la première connexion, vous devez définir les éléments Hôte, Utilisateur et Mot de passe conformément aux indications de l'hébergeur. Après, pour se reconnecter, il suffit de cliquer sur l'icône **R**. Ensuite, vous avez un écran en deux parties : à gauche, dossiers et fichiers locaux (chez vous), à droite chez l'hébergeur. Pour transférer un fichier, il suffit de faire glisser son nom de la zone d'origine vers la destination.

Les éléments d'une page

Passons maintenant en revue les éléments qui peuvent se trouver sur une page Web. Vous les connaissez puisque le surf vous est familier.

Texte

Nous vivons dans la civilisation du verbe. La plus grande partie de toute page Web est formée de texte. Tout texte présent dans le fichier page Web que le navigateur n'a pas lieu d'interpréter comme instruction sera affiché tel quel.

Listes et tableaux

Le texte peut être structuré en liste ou en tableau selon l'information qu'on veut fournir.

1. Félins
   - Chat
   - Lion
   - Tigre
2. Canidés
   - Chien
   - Loup
   - Renard

Palmarès - Plus fortes hausses depuis la veille

Libellé	Dernier	Var.	Ouv.	+ haut	+ bas	Veille	Volume
MED GEN INC. DL-,0001	0.01(c)	+250.00%	0.00	0.01	0.00	0.00	125 000
LIPPO SECS RP 500	0.00(c)	+200.00%	0.00	0.00	0.00	0.00	100 000
APHTON CORP. DL-,001	0.01(c)	+55.56%	0.01	0.01	0.01	0.01	10 000
TAGISH LAKE GOLD CORP.	0.17(c)	+52.78%	0.13	0.17	0.13	0.11	17 000
KAIRE HLDGS INC.	0.01(c)	+42.86%	0.01	0.01	0.01	0.01	2 000
CARNEGIE CORP. LTD.	0.02(c)	+42.86%	0.01	0.02	0.01	0.01	80 000
SUB-SAHARA	0.06(c)	+42.50%	0.06	0.06	0.06	0.04	226 262
ARBIOS SYSTEMS DL -,001	0.45(c)	+40.63%	0.37	0.49	0.37	0.32	950
SACRE-COEUR MINERALS LTD	1.32(c)	+40.43%	1.12	1.32	1.04	0.94	73 047
NS8 CORP. DL-0001	0.07(c)	+34.00%	0.05	0.07	0.05	0.05	5 000
ORACLE ENERGY	0.37(c)	+32.14%	0.29	0.37	0.29	0.28	53 159
BIO SOLUTIONS MFG DL-,001	0.26(c)	+31.31%	0.24	0.26	0.24	0.20	10 000
TOURNIGAN GOLD CORP.	1.57(c)	+29.75%	1.48	1.58	1.44	1.21	91 849
TC UNTERHALTUNGSELEK.	2.72(c)	+29.52%	2.10	2.72	2.10	2.10	2 145
SMARTVIDEO TECH. DL-,01	0.93(c)	+29.17%	0.80	0.93	0.80	0.72	3 340

Images et multimédia

Rien ne rend plus attrayant un site que la présence d'images ou de photos. Pour cela, il suffit de se référer à un fichier image .gif, .jpg ou .png.

Coup de main

Les fichiers images nécessitent un minimum de préparation. Les dessins seront plutôt en .gif, les photos obtenues par un scanner ou un APN (appareil photo numérique) seront plutôt en .jpg. Les photos fournies par les appareils récents ont une résolution bien supérieure à ce qui est utile pour l'Internet ; le fichier correspondant est très encombrant, d'où des temps de chargement qui rebutent les visiteurs.

Vous devez donc réduire la résolution de ces photos. Pour cela, nous vous conseillons de télécharger (gratuitement) le logiciel Irfanview. Il a des fonctions de traitement/amélioration d'images simples mais adéquates, notamment la commande **Image ▶ Resize/resample** faite exprès pour réduire la résolution.

L'image peut être incorporée soit directement dans la page, soit sous la forme d'un lien qui permet de la visualiser dans une fenêtre annexe. Ce lien peut être matérialisé par une imagette identique à l'image, mais de taille réduite.

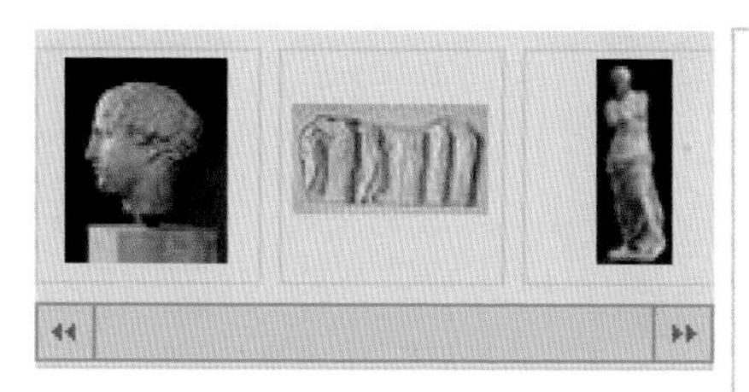

Vu sur le
Site du Musée du Louvre
http://www.louvre.fr

Aphrodite, dite "Vénus de Milo"
Fin du IIe s. av. J.-C
© R.M.N./Arnaudet - J. Schorm

Coup de loupe

Vous ne devez incorporer à votre site que des images qui vous appartiennent. Il est très facile de capturer des images sur l'Internet, mais vous devez les regarder chez vous, et en aucun cas les publier comme si elles étaient à vous.

Même des photos prises par vous, si elles représentent des personnes ou des bâtiments qui ne vous appartiennent pas, ne doivent pas être publiées sans autorisation. Évitez spécialement de prendre des bâtiments et terrains militaires.

Images animées

Les fichiers .gif peuvent servir pour des images fixes ou pour des images animées : les navigateurs jouent l'animation lorsque le fichier correspond à une image animée.

Pour créer un fichier .gif animé, le logiciel gratuit Microsoft GIF Animator est très pratique. Pour le télécharger, appelez Google avec « télécharger » et « MS Gif Animator ». Vous obtenez un fichier gifsetup.exe dont l'exécution produit GIFAnimator.exe et des annexes que vous pouvez même implanter sur clé USB.

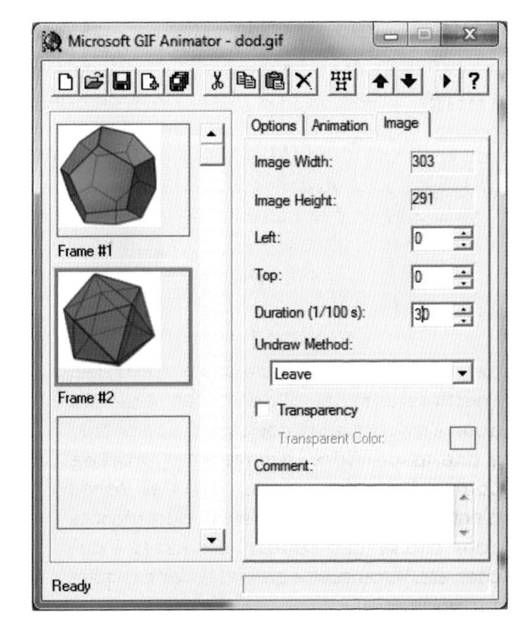

Pour créer une animation, collez chaque image composante dans un des « Frames » ; pour chaque image, définissez la durée d'affichage ; dans l'onglet Animation, définissez le nombre de répétitions et cochez éventuellement **Repeat Forever**. Il n'y a plus qu'à sauvegarder le fichier animé en cliquant sur l'icône en forme de disquette.

Multimédia

Au-delà des images animées élémentaires que nous venons de voir, il y a les animations Flash plus perfectionnées mais qui sortent du cadre de ce livre. Vous pouvez aussi incorporer différentes sortes de vidéos.

Il est également possible d'inclure des diaporamas PowerPoint, mais il faut que les visiteurs aient le logiciel pour pouvoir les lire.

Vous pouvez aussi incorporer des fichiers de son ou de musique et ainsi créer soit un fond sonore pour votre page, soit un jingle ou un petit message parlé qui se fera entendre au chargement de la page.

Pour créer un fichier sonore bref, vous pouvez utiliser le magnétophone de Windows : **Démarrer** ▶ **Tous les programmes** ▶ **Accessoires** ▶ **Magnétophone**. Sous Windows 7, on obtient un fichier .wma, qu'on peut convertir en .wav ou autre avec des logiciels téléchargeables gratuitement.

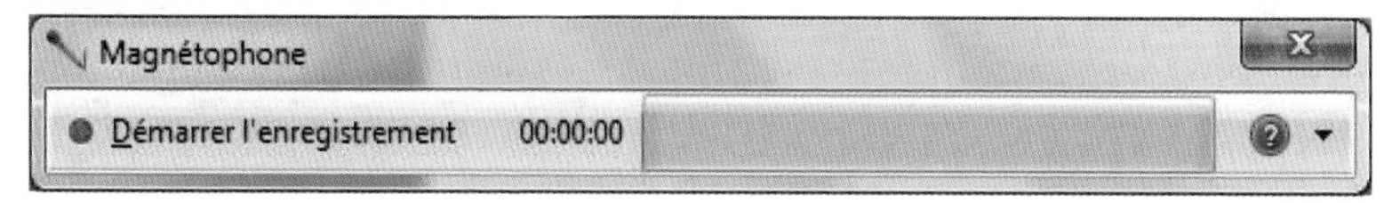

Liens

Les liens constituent l'essence des pages Web. Tout l'intérêt du Web est qu'on peut faire tout un parcours de proche en proche sur des milliers de pages. Pour cela, la page de départ renferme des liens qui peuvent conduire à un autre endroit de la même page, à une autre page du même site ou bien à un autre site.

Formulaires

On trouve souvent dans les sites des questionnaires à remplir, par exemple pour s'inscrire à un concours ou adhérer à une association. La page Web propose pour cela un formulaire avec des zones d'entrée texte, des listes déroulantes pour choisir des options, des cases à cocher, *etc.* Vous devez généralement cliquer sur un bouton du genre OK, Valider ou Envoyer pour terminer la procédure.

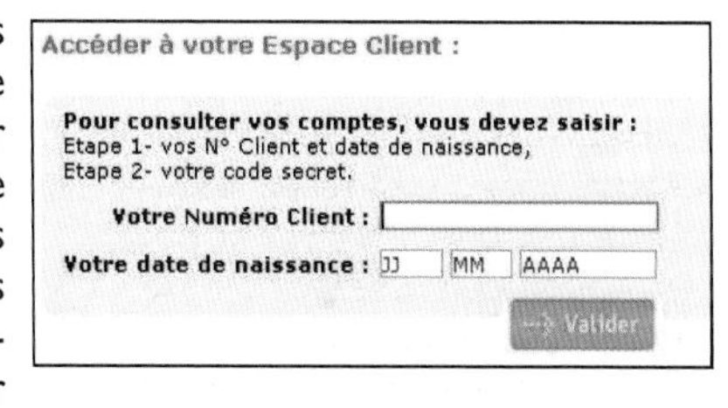

Il y a quelquefois un mot de passe à fournir, notamment pour accéder à son compte dans le site d'une banque.

Menus et moteurs de recherche

Nous avons déjà dit que pour faciliter la navigation dans un site, surtout s'il est complexe et comprend de très nombreuses pages, l'idéal est d'avoir un plan du site, dont chaque élément sera un lien vers la page décrite. Cela constitue un menu de navigation.

Nous verrons des procédés pour que ce menu soit toujours visible quelle que soit la page en cours d'affichage. Le menu figure généralement à gauche de l'écran, tandis que la page proprement dite est à droite. C'est le cas de notre site `www.djdavid.fr`.

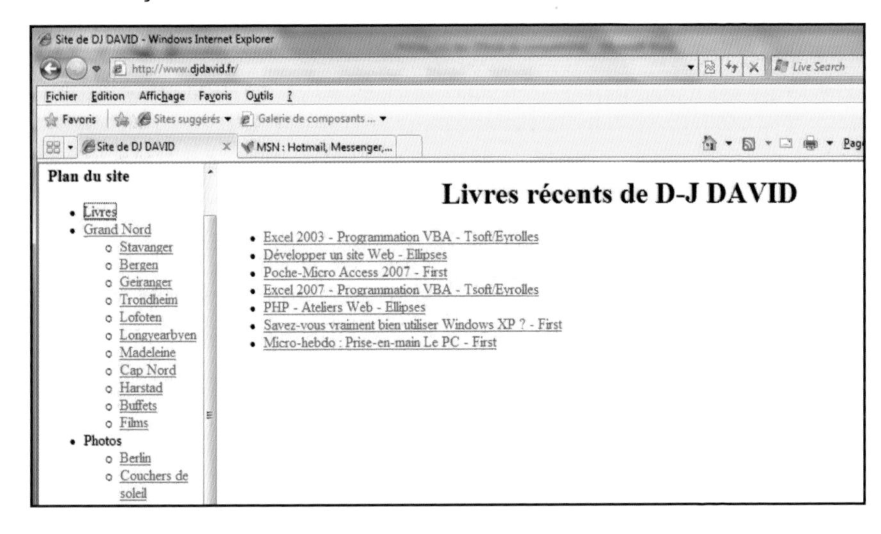

Certains sites proposent un moteur de recherche qui, à la différence des moteurs de recherche classiques, n'effectue pas sa recherche dans tout le Web, mais seulement dans le site.

Il se présente comme un formulaire où le visiteur spécifie les mots clés recherchés et ses critères. Les résultats sont affichés dans une autre partie de la page.

La figure suivante montre le moteur de recherche du site d'une organisation : on cherche des membres possédant une compétence à la fois en économie et en informatique. Les noms cités en résultats sont fictifs.

Recherche sur compétences

On fait le ET des critères. Le premier est obligatoire.

Critère 1 : Economie Critère 2 : Informatique

Critère 3 : Critère 4 :

OK

Résultats pour les critères economie informatique

Dupont

Durand

Coup de main

Dans la suite de cet ouvrage, vous aurez à faire des exercices pratiques. Tous les fichiers utiles sont à votre disposition en téléchargement, que ce soit les pages Web solutions, les textes de départ ou les fichiers annexes, notamment images, à utiliser. L'adresse de téléchargement est :

`http://www.editionsfirst.fr/telechargements/`

Choisissez **Prise en main** dans la liste déroulante de choix de la collection puis cliquez sur l'image de la couverture du livre. Vous obtenez un dossier compressé.

Chapitre 3

Créez un site sans connaître les langages du Web

Dans ce chapitre

- ✓ Téléchargez NVU
- ✓ Installez NVU
- ✓ Découvrez NVU
- ✓ Créez votre site des polyèdres

Plusieurs logiciels permettent de créer un site Web sans connaître les langages et la programmation. Certains sont gratuits, d'autres payants ; ils sont plus ou moins élaborés, plus ou moins commodes à utiliser et ils ont des niveaux de possibilités très divers.

Pour cet ouvrage, nous avons choisi NVU. Ce logiciel est gratuit (offert par l'organisation Mozilla qui fournit le navigateur libre Firefox). Nous verrons qu'il est très simple d'utilisation et qu'il a un excellent niveau de possibilités. Vous pouvez toujours critiquer ce choix et adopter par exemple FrontPage Express ; de fait, il n'est pas très différent de NVU.

Téléchargez NVU

Il faut commencer par télécharger le logiciel en procédant de la manière suivante :

1. Trouvez le site de téléchargement. Appelez Google avec « télécharger » et « NVU ».
2. Une liste déroulante vous propose entre autres choix **télécharger NVU portable**. Adoptez ce choix, qui vous permettra d'installer le logiciel sur une clé USB, donc de ne pas occuper de place sur votre disque dur et même d'utiliser le logiciel sur des machines différentes. Il vous faut une clé USB avec une vingtaine de mégaoctets libres.
3. Un des premiers choix proposés est **01net**. Adoptez-le : il s'agit des éditeurs de *Micro Hebdo*.
4. Cliquez sur le bouton **Télécharger**. Choisissez **Enregistrer** dans la boîte de dialogue qui apparaît.
5. Vous avez alors à choisir le dossier de destination. Spécifiez un dossier sur votre clé USB, éventuellement en créant un nouveau dossier : nous suggérons le nom *telNVUport*. Cliquez sur **Enregistrer**. Le téléchargement démarre.

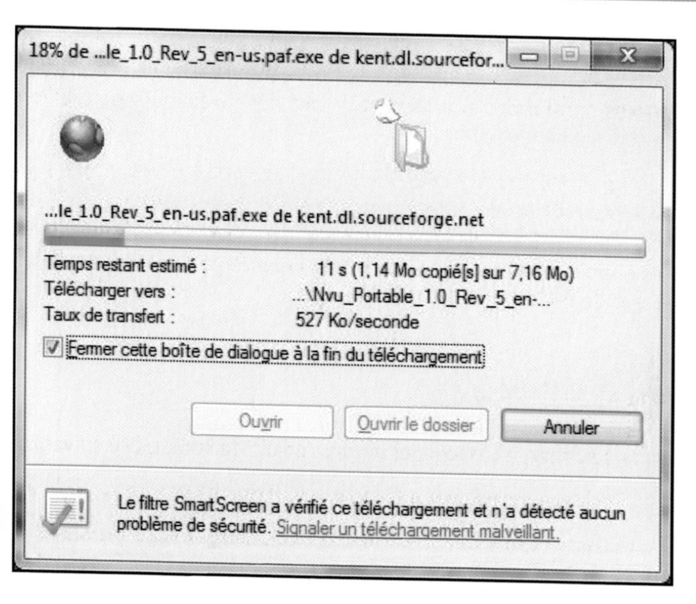

6. Il vient un fichier nommé *Nvu_Portable_1.0_Rev_5_en-us.paf.exe.*

Installez NVU

Vous devez ensuite installer le logiciel.

1. Double cliquez sur le fichier *Nvu_Portable_1.0_Rev_5_en-us.paf.exe* dans son répertoire.
2. L'assistant d'installation démarre. Cliquez sur **Next** (ou **Suivant**).
3. Il vient la boîte de dialogue de choix du dossier du logiciel.

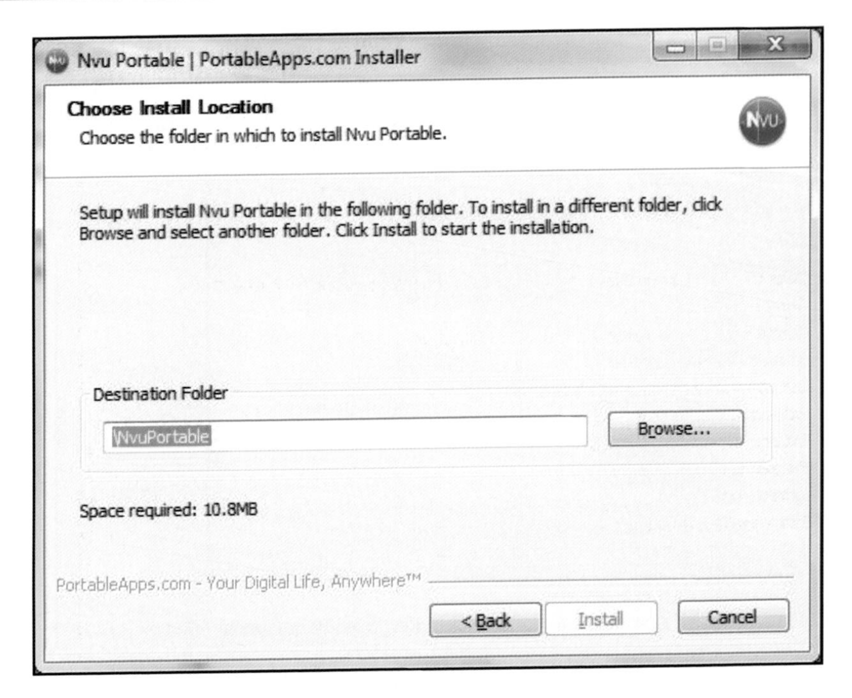

4. Vous devez faire précéder le nom du dossier proposé de la lettre de disque de votre clé USB et « :\ ». Dans notre exemple, on aura *H:\NvuPortable*.

5. Cliquez sur **Install**. L'installation se déroule ; elle prend plus ou moins de temps selon les performances de votre clé USB.

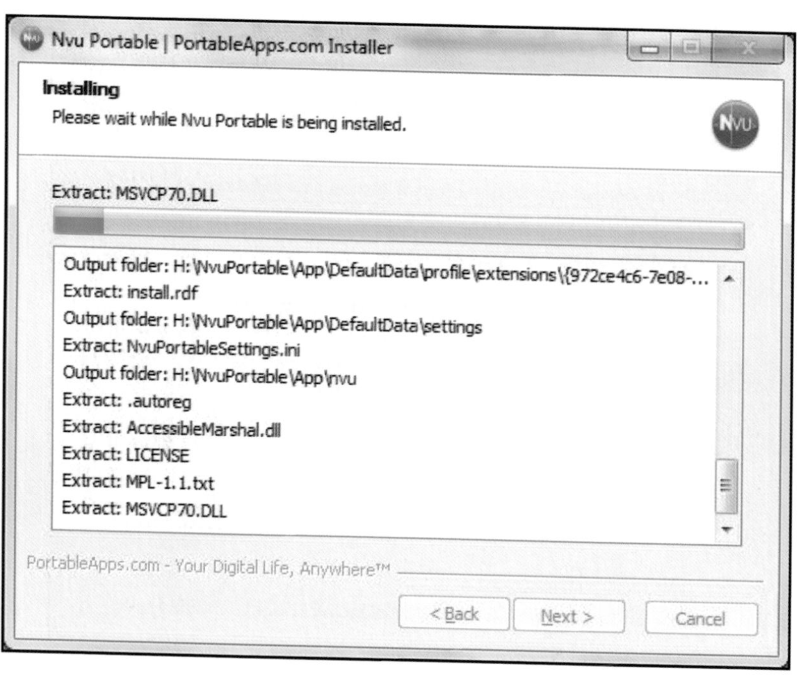

6. Cliquez sur **Finish**. Il vient une boîte de dialogue inquiétante.

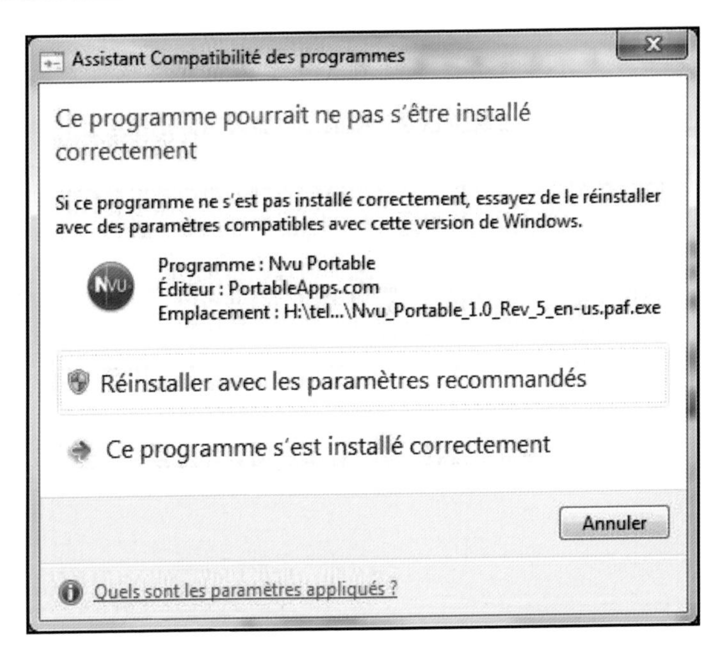

7. Cliquez sur **Ce programme s'est installé correctement** : ne donnez pas dans la paranoïa. Dans le dossier NvuPortable de la clé USB, il y a un fichier nommé… *NvuPortable.exe*. Double-cliquez dessus pour lancer NVU.

Découvrez NVU

Au premier lancement, une boîte de dialogue vous demande de cliquer sur **OK** pour incrémenter le compteur d'utilisateurs : faites-le, les auteurs du logiciel méritent bien ce remerciement. Ensuite, à chaque ouverture, apparaît une astuce d'emploi ou une information : leur consultation peut être utile. Fermez cette boîte pour arriver à l'écran d'utilisation proprement dit.

L'écran de NVU ressemble beaucoup à celui d'un traitement de texte comme Open Office Org Writer ou Works.

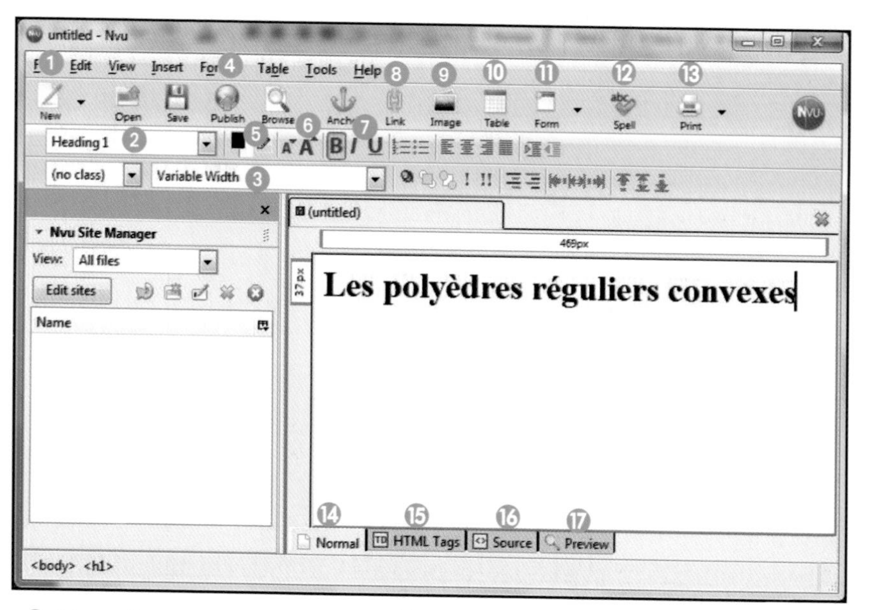

1. Nouvelle page
2. Type de texte
3. Police
4. Publier le site
5. Couleurs
6. Tailles
7. Gras, iltalique, souligné
8. Insérer un lien
9. Insérer une image
10. Insérer un tableau
11. Insérer un formulaire
12. Vérifier l'orthographe
13. Imprimer
14. Normal
15. Voir les balises
16. Code de la page
17. Prévisualisation

Nous n'utiliserons pas la partie « Site Manager » qui, avec le bouton « Publier le site », gère l'envoi des fichiers chez votre hébergeur : pour le moment, vous allez sauvegarder les fichiers sur votre disque dur et essayer les pages en local.

Voici les étapes à suivre pour créer une page.

1. Définissez des options dans **Tools ▶ Preferences**, onglets New page settings (jeu de caractères : UTF-8) et Advanced (Language : **XHTML1** ; DTD : **Strict** ; Special characters : **Only & < >...**).

2. Cliquez sur la flèche de New, choisissez **More options**, puis cochez **create a XHTML document** et **Strict DTD**. Cliquez sur **Create**.

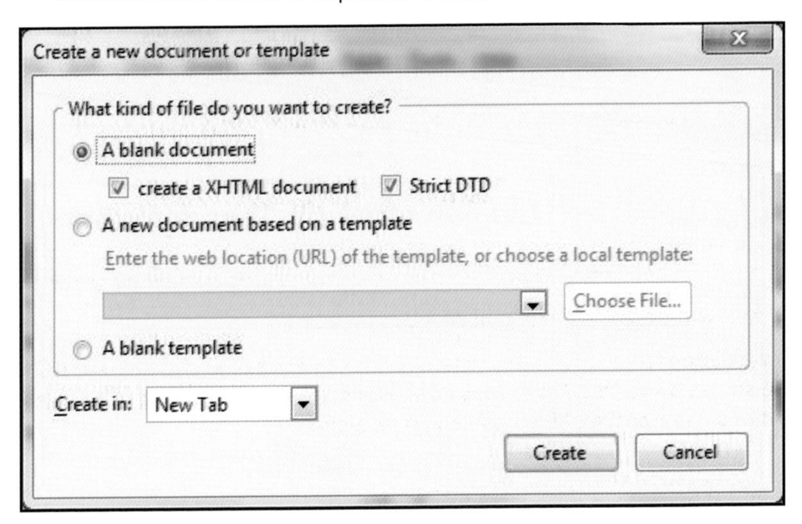

3. Pour entrer des textes, choisissez le type de texte (corps de texte, paragraphe ou titres : Heading 1 est le plus gros), choisissez la police, les couleurs, les enrichissements (gras, italique ou souligné), les alignements et retraits (le menu **Format** est plus précis).

4. Insérez les éléments spéciaux liens, images, tableaux, formulaires.

5. Sauvegardez la page. Utilisez **File** ▶ **Save As**, seule façon de pouvoir spécifier un nom de fichier différent du titre qui vous est demandé à la première sauvegarde.

6. Voici ce que procurent les différents modes d'affichage du bas de la fenêtre.

   ✓ **HTML Tags** fait apparaître les noms des balises utilisées.

BODY H1 **Les polyèdres réguliers convexes**

   ✓ **Source** affiche le texte HTML produit.

```
1. <!DOCTYPE html PUBLIC "-//W3C//DTD XHTML 1.0 Strict//EN"
2.   "http://www.w3.org/TR/xhtml1/DTD/xhtml1-strict.dtd">
3. <html xmlns="http://www.w3.org/1999/xhtml">
4. <head>
5.   <meta content="text/html; charset=UTF-8"
6.  http-equiv="content-type" />
7.   <title>Polyèdres</title>
8. </head>
9. <body>
10.<h1>Les polyèdres réguliers convexes</h1>
11. </body>
12. </html>
```

✓ **Preview** n'est pas différent de **Normal**.

Vous allez maintenant parcourir en détail ces étapes à l'occasion de la création de votre site sur les polyèdres. Nous vous conseillons de suivre scrupuleusement les manipulations : on n'apprend bien que par la pratique.

Créez votre site des polyèdres

La page d'accueil

Démarrage

Commencez par créer un dossier sur votre disque. Nous suggérons le nom *site-polyedres* (minuscules et pas d'accent).

Ensuite, lancez NVU et appelez **Tools** ▶ **Preferences**. Dans l'onglet New page settings, cliquez sur **Choose a charset** et spécifiez **UTF-8** : ce jeu de caractères est le plus universel ; il s'impose, si vous voulez utiliser l'alphabet grec, cyrillique ou autre.

Dans l'onglet Advanced, spécifiez **XHTML1** et **Strict**. Dans la liste déroulante *Output the following characters as entities*, choisissez **Only & < >...**. Cliquez sur **OK**.

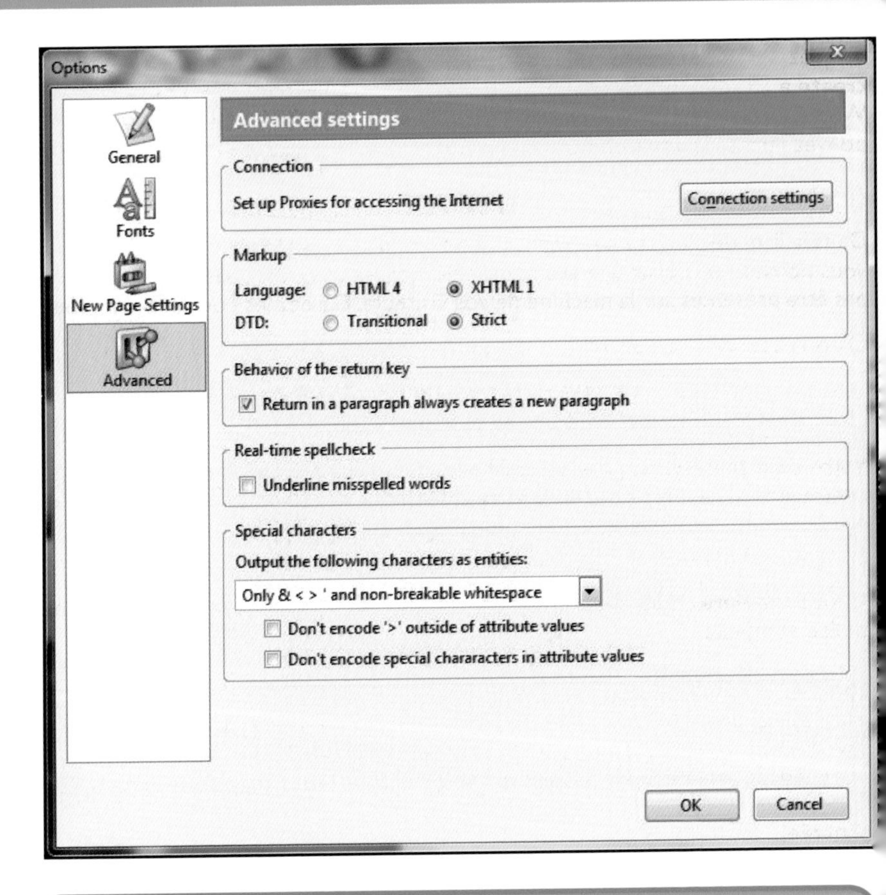

Coup de loupe

Au début du Web, les navigateurs ne savaient pas traiter les caractères spéciaux, comme les lettres accentuées. Donc on les remplaçait par une *entité HTML*. Pour le « é », c'était « é ». Cela n'a plus lieu d'être maintenant, à moins que vous n'escomptiez des visiteurs équipés de navigateurs archaïques. D'où notre choix qui n'utilise les entités HTML que là où elles sont indispensables. Notez qu'avec le choix **HTML4**, vous tapez les lettres accentuées et c'est le logiciel qui se charge de les remplacer.

Cliquez sur la flèche à droite de l'icône New et, dans **More options**, cochez **create a XHTML document** et **Strict DTD** : nous voulons obéir aux normes du Web. Cliquez sur **Create** : vous êtes prêt à construire votre page d'accueil. Vous pouvez fermer le volet de gauche (gestion des sites) : nous ne l'utilisons pas.

Le titre

Dans la liste déroulante des polices, choisissez **Arial**. Si elle n'est pas à votre goût, vous pouvez en choisir une autre, mais les polices trop exotiques risquent de ne pas être présentes sur la machine de vos visiteurs. Gardez les couleurs par défaut.

Dans la liste déroulante de type de texte, choisissez **Heading 1**, puis tapez :

```
Les polyèdres réguliers convexes
```

Votre titre apparaît en gros, tel qu'il sera sur la page. Cliquez sur le bouton de centrage dans les alignements et tapez **Entrée**.

Le texte de la page

Choisissez **Paragraph** dans la liste déroulante de type de texte, **Arial** comme police et tapez :

```
Alors qu'il existe autant de polygones réguliers
convexes que l'on veut, il n'existe que cinq
polyèdres réguliers convexes. On les appelle
les solides de Platon.
```

(**Entrée**)

```
Cela résulte des contraintes : toutes les facettes
doivent être identiques, tous les sommets et toutes
les arêtes doivent être équivalents, chaque facette
doit être un polygone régulier et (convexité) tout
le polyèdre doit être du même côté du plan de chaque
facette.
```

(**Entrée**)

```
Ainsi, le dodécaèdre rhomboïdal, qui présente
beaucoup de symétries, n'est pas un polyèdre
régulier : ses facettes, toutes identiques, sont des
losanges, donc ne sont pas des polygones réguliers.
```

(**Entrée**)

```
Cliquez ici pour la démonstration.
```

(**Entrée**)

Chaque fois que vous tapez sur **Entrée**, vous devez choisir **Arial** à nouveau.

Première sauvegarde

Il est temps de sauvegarder votre travail : un incident est si vite arrivé. Appelez **File** ▶ **Save as.** Ne cliquez pas sur le bouton en forme de disquette, vous ne seriez pas libre de choisir le nom du fichier.

Une boîte de dialogue vous demande un titre pour la page. Nous choisirons « Polyèdres » pour toutes les pages.

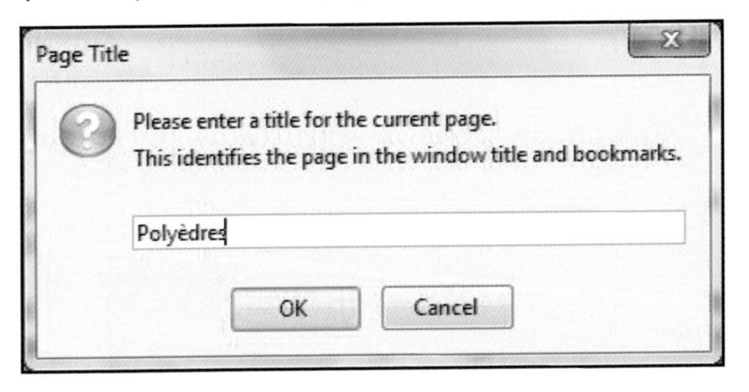

Cliquez sur **OK**. Là, vient la boîte de dialogue classique de choix d'un dossier et d'un nom de fichier.

Spécifiez le dossier *sitepolyedres* que nous avons indiqué. Le système propose le nom *Polyèdres.xhtml*. **Vous devez changer le nom et l'extension**.

L'extension proposée est logique puisque nous avons opté pour XHTML. Le problème est qu'Internet Explorer (même version 8) ne comprend pas cette extension : il visualise le code source de la page au lieu de l'interpréter. Or c'est le navigateur qui domine le marché. **Donc spécifiez l'extension .htm**.

Le nom proposé est identique au titre que nous avons indiqué, mais nous avons dit que la page d'accueil devait avoir le nom **index**.

Améliorez la présentation

Sélectionnez le mot « cinq » (par glissement souris), puis cliquez sur l'icône **B**. Le mot vient en gras. Faites la même chose sur « solides de Platon ». Sélectionnez à nouveau « cinq ». Cliquez sur le carré noir qui représente la couleur de texte. Choisissez un rouge et **OK**. Le mot devient rouge.

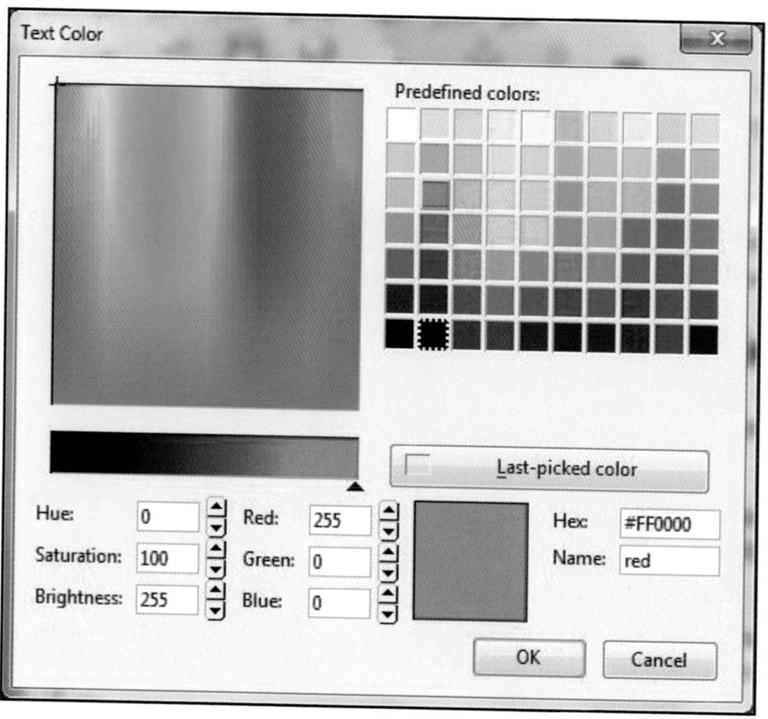

Faites la même chose pour « solides de Platon ». Vous pouvez prendre une autre couleur, mais il faut éviter de mélanger trop de couleurs et de polices. Vous pouvez aussi agir sur la couleur de fond en cliquant sur le carré blanc.

Images

Il nous faut un fichier image représentant un dodécaèdre rhomboïdal. Il y en a un en téléchargement, *dodrh.jpg* ; vous pouvez aussi en trouver sur l'Internet ; il faut qu'il soit installé dans le dossier *sitepolyedres*.

Cliquez juste après le mot « rhomboïdal », puis cliquez sur l'icône **Image** ▬. Dans l'onglet Location, cliquez sur **Choose file**. Choisissez *dodrh.jpg*, cochez **URL is re-**

lative to page location et **Don't use alternate text**. Dans l'onglet Dimensions, divisez la taille par 2 (178 devient 89) et gardez **Constrain** cochée pour qu'il n'y ait pas de déformation.

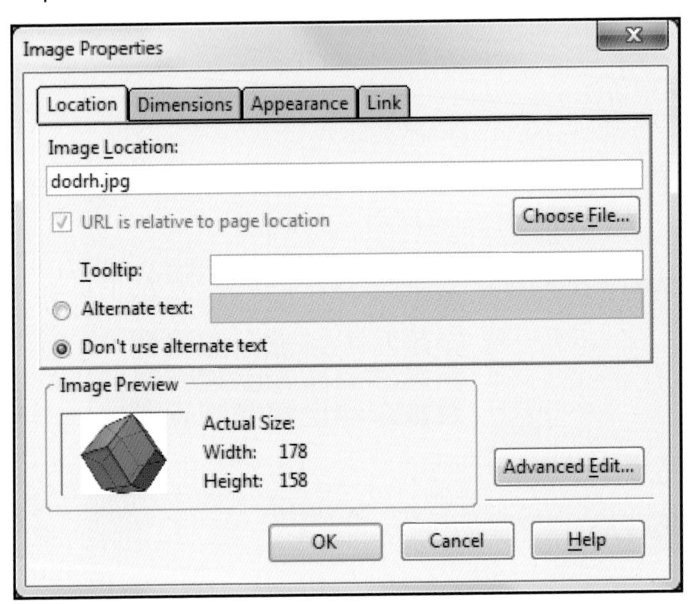

L'image apparaît.

Liens

Sélectionnez la phrase « Cliquez ici pour la démonstration ». Puis cliquez sur l'icône Link. Dans la boîte de dialogue qui apparaît, tapez `demo.htm` (il faut taper car la page cible n'étant pas encore créée, on ne peut la choisir par **Choose file**).

Vous pouvez maintenant sauvegarder le nouvel état de la page en cliquant sur le bouton **Save**.

La page demo.htm

Il faut que votre dossier contienne les cinq fichiers images *cube.jpg*, *dodpenta.jpg*, *icosa.jpg*, *octa.jpg* et *tetra.jpg*. Vous les avez en téléchargement, mais, souvent, les webmasters (ou les graphistes de l'équipe) doivent construire leurs fichiers images.

Vous pouvez vérifier que les options de départ de nouvelle page sont conservées, même si vous aviez quitté NVU après la création d'*index.htm*. Donc cliquez sur l'icône **New**.

Choisissez **Heading 1**, **Arial** ; tapez `Les polyèdres réguliers convexes`, **Entrée** ; choisissez **Heading 2**, **Arial** ; tapez `Démonstration de l'existence de seulement 5 solides de Platon`, **Entrée** ; choisissez **Paragraph**, **Arial** et tapez :

```
Nous avons deux contraintes : en un sommet, il faut
que se rencontrent au moins 3 facettes et la somme
des angles doit être strictement inférieure à 360°
(pour qu'il soit convexe). Examinons les cas
possibles.
```

(**Entrée**) (À chaque **Entrée**, il faut redéfinir **Arial**.)

```
Facettes hexagone régulier : angle au sommet 120°.
3x120=360, pas strictement inférieur à 360, donc
impossible. Et les polygones de plus de 6 côtés sont
encore moins possibles.
```

(**Entrée**)

```
Facettes pentagone régulier : angle au sommet 108°.
3x108=324 possible ; 4x108>360, donc la seule
possibilité est 3, ce qui donne le dodécaèdre
pentagonal.
```

(**Entrée**)

```
Facettes carré : angle 90°. 3x90=270 possible ;
4x90=360 impossible, donc la seule possibilité
est 3, ce qui donne le cube.
```

(**Entrée**)

```
Facettes triangle équilatéral : angle 60°. 3x60=180,
ce qui donne le tétraèdre régulier ; 4x60=240,
ce qui donne l'octaèdre régulier ; 5x60=300,
ce qui donne l'icosaèdre régulier (20 facettes).
Impossible au-delà puisque 6x60=360.
```

(**Entrée**)

```
En résumé :
```

(**Entrée**)

Maintenant, sauvegardez par **File ▶ Save as** sous le nom *demo.htm* et avec le titre « Polyèdres-Démonstration ».

Construction d'un tableau

Notre résumé sera formé d'un tableau.
Cliquez sur l'icône **Table** ☐.

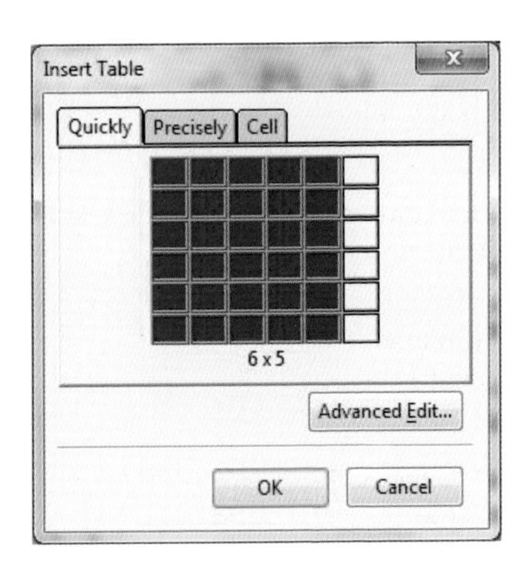

Cliquez sur la case 6e ligne, 5e colonne.
L'ébauche du tableau apparaît.

Dans les cases successives de la 1re ligne, tapez :

Nom	Image	Facettes	Arêtes	Sommets

Pour passer d'une case à l'autre, utilisez la touche **Tab** ; avant chaque mot, vous devez reconfirmer le choix de police **Arial**. Ensuite, sélectionnez toute la 1re ligne par glissement de souris et mettez en gras par l'icône **B** :

Nom	**Image**	**Facettes**	**Arêtes**	**Sommets**

Remplissez le tableau ainsi (en reconfirmant **Arial** à chaque entrée dans une cellule) :

Tétraèdre		4 Triangle équilatéral	6	4
Cube		6 Carré	12	8
Octaèdre régulier		8 Triangle équilatéral	12	6
Dodécaèdre pentagonal		12 Pentagone régulier	30	20
Icosaèdre régulier		20 Triangle équilatéral	30	12

Coup de loupe

Au lieu d'avoir à sélectionner **Arial** dans chaque cellule, vous pouvez sélectionner tout le tableau par glissement souris et spécifier **Arial** une seule fois.

Vous allez à présent centrer tous les contenus de cellules : faites un glissement souris de la cellule 1,1 à 6,5 et cliquez sur l'icône de centrage.

Les images

Successivement dans chaque cellule de la colonne 2, cliquez sur l'icône, choisissez l'image par **Choose file** (les fichiers doivent être dans le dossier du site comme nous l'avons dit au début) et, dans l'onglet Dimensions, ramenez la hauteur à 50 pixels (avec **Custom Size** et **Constrain** cochées).

Dans l'onglet Location, fournissez le nom du polyèdre comme `Tooltip` et `Alternate text`.

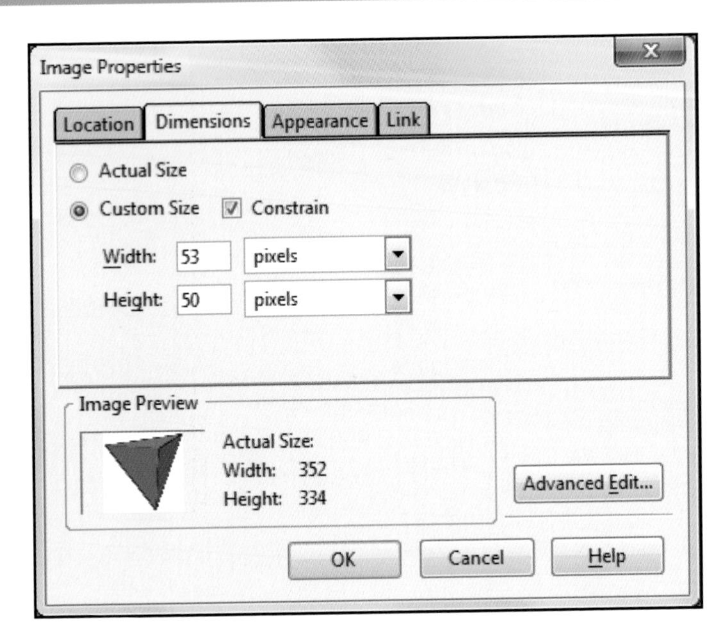

Les fichiers sont : ligne 2, *tetra.jpg* ; ligne 3, *cube.jpg* ; ligne 4, *octa.jpg* ; ligne 5, *dodpenta.jpg* ; ligne 6, *icosa.jpg*.

Lien image

Nous allons transformer chaque image en lien vers la page de détails sur le polyèdre concerné. Ces pages auront pour nom de fichier le même nom que l'image mais avec l'extension .htm. Cela nous montrera qu'une image peut servir de lien et qu'un lien peut être dans une cellule de tableau.

Pour chaque image, cliquez dessus pour la sélectionner et cliquez sur l'icône **Image** ▣. La boîte de dialogue Image Properties réapparaît. Allez cette fois dans l'onglet Link et tapez le nom du fichier voulu.

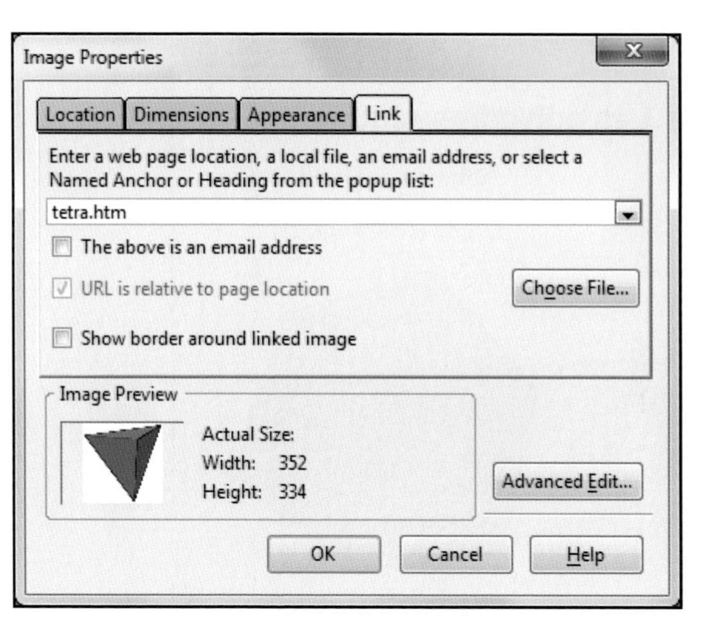

En dessous du tableau, ajoutez le paragraphe suivant (Arial) :

```
Pour des détails sur le polyèdre, cliquez sur
l'image.
```

Sauvegardez par 💾.

Les pages de détails

Nous allons nous borner à des pages de détails très simples : le gros titre « Les polyèdres réguliers convexes » (Heading 1), le titre « (Solides de Platon) » (Heading 2), le titre « *nom du polyèdre* » (Heading 2).

Ensuite, insérez l'image en grandeur réelle, donc sans passer dans l'onglet Dimensions.

En bas de la page, installez les deux liens « Retour à la vue d'ensemble » (*demo.htm*) et « Retour à la page d'accueil » (*index.htm*).

Centrez les titres et l'image. Sauvegardez par **File** ▶ **Save as**, avec, par exemple, le titre « Polyèdres-L'icosaèdre » et le nom de fichier *icosa.htm*.

Vous ne devriez pas avoir de difficulté. Voici le résultat pour l'icosaèdre.

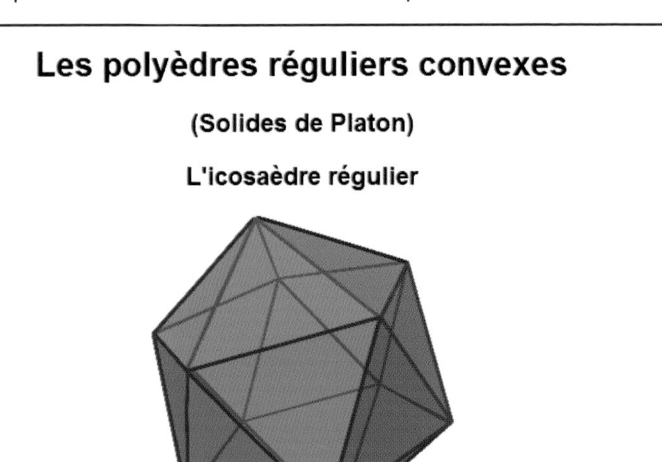

Une fois que vous avez fait la page pour un des polyèdres, pour chacun des autres :

1. Cliquez sur **New** ; il vient un nouvel onglet ; recopiez tout le contenu de la page déjà faite dans ce nouvel onglet (**Ctrl+C**, **Ctrl+V**).
2. Modifiez le titre sur place.
3. Cliquez sur l'image, puis sur l'icône image et, dans l'onglet Location, modifiez le nom de fichier, Tooltip et Alternate text.
4. Sauvegardez avec le nouveau titre et le nom de fichier correspondant.

Questions de présentation

Nous avons vu qu'il est un peu fastidieux d'avoir à spécifier **Arial** chaque fois qu'on crée un nouveau paragraphe. De plus, cela alourdit le code XHTML produit. Il y a moyen de l'éviter en créant des divisions qui regroupent les éléments auxquels on veut appliquer une même mise en forme.

Pour cela, une première précaution : dès que vous créez une nouvelle page, appuyez une ou deux fois sur la touche **Entrée** pour avoir du champ derrière les éléments que vous créez afin de pouvoir en introduire d'autres. Pour vous entraîner, créez une nouvelle page (clic sur **New**), tapez **Entrée** plusieurs fois et revenez en haut de la page.

Choisissez **Generic container (div)** dans la liste déroulante de type de texte. Ensuite, choisissez **Paragraph** et tapez :

```
Paragraphe 1
```

(**Entrée**)

```
Paragraphe 2
```

(**Entrée**)

```
Paragraphe 3
```

(**curseur bas**)

```
Texte 4
```

(**curseur bas**)

Passez en mode HTML Tags. Cliquez sur le DIV jaune : les trois paragraphes sont sélectionnés.

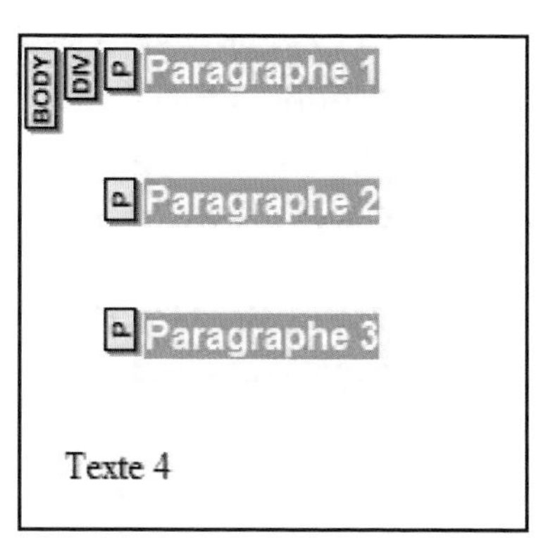

Choisissez la police **Arial**, le gras (**B**) et la couleur de caractères **rouge**. Ces dispositions sont appliquées aux trois paragraphes. Sauvegardez sous le nom *essai.htm*.

Passez en mode Source. Voici un extrait de ce que vous obtenez :

```
<body>
<div
 style="font-family: Arial; color: rgb(255, 0, 0);
font-weight: bold;">
```

```
<p>Paragraphe 1</p>
<p>Paragraphe 2</p>
<p>Paragraphe 3</p>
</div>
Texte 4<br />
<br />
```

Là, les dispositions de présentation ne sont implantées qu'une seule fois et elles s'appliquent à tout ce qui est entre <div> et </div>.

Coup de loupe

Ce procédé fonctionne car NVU implante une fin de division (/div>) quand on tape **curseur bas** avant d'implanter d'autres éléments, d'où l'utilité d'insérer des retours charriots avec **Entrée** à la création de la page. Mais il faut savoir qu'on veut regrouper les éléments avant de créer le premier.

Si on veut regrouper des éléments préexistants, le **seul moyen** est de passer en mode HTML Tags et d'implanter à la main le <div> et le </div>. Sélectionner les éléments et choisir **Generic container** ne marche pas : cela met <div> </div> autour de chaque élément, ce qui a pour effet de répéter les spécifications de présentation.

Voici un petit extrait du code source XHTML créé par NVU pour la page *demo.htm* :

```
<p><span style="font-family: Arial;"><span
 style="font-family: Arial;"><span
 style="font-family: Arial;"><span
 style="font-family: Arial;">Facettes
triangle équilatéral : angle 60°. 3x60=180, ce qui donne le
tétraèdre régulier ;
4x60=240, ce qui donne l'octaèdre régulier ;
5x60=300, ce qui donne l'icosaèdre régulier (20 facettes).
Impossible au-delà puisque 6x60=360.<br />
</span></span></span></span></p>
```

On voit la lourdeur des répétitions inutiles. Nous avons donc deux exemples, et il y en a bien d'autres, qui montrent la nécessité d'intervenir dans le code XHTML produit par les logiciels censés nous dispenser de connaître les langages. Vous allez vous y atteler à partir du chapitre suivant. De fait, le mieux est une collaboration entre les deux pour profiter du meilleur des deux univers : faire ce qu'on peut avec NVU puis intervenir sur le code qu'il a produit.

Chapitre 4

Remplissez les pages avec XHTML

Dans ce chapitre

- ✓ Balises
- ✓ Texte
- ✓ Images
- ✓ Liens
- ✓ Gérez la navigation
- ✓ Tableaux
- ✓ Formulaires
- ✓ Construisez le site des polyèdres avec XHTML

Les balises

Nous abordons dans ce chapitre XHTML, le principal langage des webmasters pour construire les fichiers .htm des pages Web. Un fichier .htm est formé de textes qui seront affichés tels quels, entre lesquels sont intercalées des *balises*. Les balises sont les instructions du langage XHTML : elles sont interprétées par le navigateur pour influer sur l'affichage et pour insérer les éléments particuliers de la page : liens, images, tableaux, formulaires.

Coup de loupe

Nous étudions XHTML dans ce livre. Il remplace HTML, dont il est très peu différent : il ne fait que suivre plus rigoureusement les normes conseillées par le W3C (*World Wide Web Consortium*) pour assurer une meilleure compatibilité des navigateurs et des pages Web. Cela facilite l'accessibilité aux pages, notamment pour les handicapés (voir chapitre 8).

Il y a deux sortes de balises :

- ✓ Les conteneurs, de la forme <ouverture>contenu<fermeture>. Si l'ouverture est <nom>, la fermeture est </même-nom>. Le contenu ou zone d'influence complète la définition de l'élément installé par la balise ; son affichage est influencé par la balise. Entre le nom et " > ", il peut y avoir des paramètres ou attributs de la forme param= "valeur" jouant sur le comportement de la balise. Exemple : <h1 style="font-size: 3em ;">Polyèdres</h1> Le contenu peut lui-même comporter d'autres balises : l'emboîtement doit être respecté (fermetures dans l'ordre inverse des ouvertures). Exemple : <h1>Solides de <em>Platon</em></h1>.
- ✓ Les marqueurs ou balises célibataires de la forme <nom />, qui implantent un élément isolé ou effectuent une action ponctuelle. Il peut y avoir des paramètres. Exemples : <br />, qui fait aller à la ligne ; <img src="tetra.jpg" />, qui implante une image.

Règles d'écriture

✓ **Majuscules et minuscules.** HTML était indifférent aux majuscules et minuscules, alors que XHTML exige des minuscules pour tous les noms de balises et pour tous les noms d'attributs. Pour les valeurs des attributs, c'est selon ; pour une désignation de fichier, il faut suivre la forme du nom tel qu'il a été créé.

✓ **Balises de fermeture.** En HTML, certaines balises de fermeture étaient facultatives, d'autres obligatoires. En XHTML, toutes les balises de fermeture sont obligatoires.

✓ **Balises célibataires.** En vertu de la règle précédente, une balise célibataire doit s'écrire par exemple <br/>. Comme l'écriture
 (espace devant /) est acceptée par tous les navigateurs en HTML et XHTML, c'est cette écriture passe-partout que nous utilisons tout au long de ce livre.

✓ **Valeurs des paramètres.** En XHTML, toute valeur de paramètre doit être entre guillemets (") ; en HTML, on pouvait se dispenser des guillemets si la valeur ne contenait pas d'espaces ou de caractères spéciaux. Exemple : width=300 devra obligatoirement s'écrire width="300" en XHTML.

✓ **Paramètres booléens.** Certains paramètres jouaient uniquement par leur présence en HTML. Exemple : <input type=checkbox checked> installe dans un formulaire une case à cocher qui est cochée par défaut. En XHTML, il faut écrire <input type="checkbox" checked="checked" />. Cela semble un peu ridicule mais cela uniformise les règles.

✓ **Commentaires.** HTML et XHTML permettent d'incorporer des commentaires, c'est-à-dire des portions de texte explicatives qui ne seront pas interprétées par le navigateur. Les commentaires sont inclus entre < !-- et -->. En HTML, on pouvait écrire, par exemple, <!-- Ici commence la partie -----importante----- de la page -->. En XHTML, il ne peut y avoir de tirets consécutifs à l'intérieur du commentaire (règle héritée de XML), donc on écrirait <!-- Ici commence la partie -importante- de la page -->.

✓ **Caractères spéciaux et entités HTML.** À l'origine, les navigateurs géraient sept bits par caractère ; donc, pour les caractères spéciaux, on a développé toute une série de combinaisons qu'on appelle les *entités HTML*. Exemples : **é** pour é, ** ** pour l'espace insécable, *etc.* Maintenant, avec les codages de charset=, on peut toujours les utiliser, mais on en a moins besoin. En XHTML, seuls restent obligatoires **&** pour & et **<** pour <. On conseille aussi **>** pour > afin d'être symétrique. ** ** reste utile.

Coup de main

XHTML est le nouveau standard ; c'est une passerelle vers les futures versions et il interagit facilement avec les autres langages dérivés de XML.

Ayant des règles plus strictes, XHTML vous conduit à créer des pages plus cohérentes et fonctionnant mieux ; il permet de créer des pages pour les PDA, les téléphones, les lecteurs d'écrans pour malvoyants, *etc*

XHTML 1.0 est accepté même par les anciens navigateurs et les nouveaux navigateurs respectent mieux les normes CSS avec lui ; nous vous inciterons à éviter les balises de présentation pour réserver la mise en forme aux styles CSS ; cela facilitera la prise en compte des problèmes d'accessibilité dans vos pages.

Les balises « statutaires »

Tout fichier XHTML est de la forme suivante :

```
< !DOCTYPE.....>
<html....>
<head>
   Contenu de l'en-tête
</head>
<body>
   Contenu de la page
</body>
</html>
```

Le DOCTYPE

La ligne DOCTYPE est une DTD (Déclaration de type de document) qui informe le navigateur si le document est en HTML ou en XHTML. Elle influe en particulier sur le mode de fonctionnement du navigateur. La déclaration que nous emploierons toujours dans ce livre est XHTML Strict : elle force les navigateurs modernes à fonctionner de la manière la plus conforme aux normes possible. Elle s'écrit :

```
<!DOCTYPE html PUBLIC "-//W3C//DTD XHTML 1.0 Strict//EN"
      "http://www.w3.org/TR/xhtml1/DTD/xhtml1-strict.dtd">
```

<html...>

En XHTML, on utilise :

```
<html xmlns="http://www.w3.org/1999/xhtml">
```

C'est ce que NVU génère automatiquement avec les options que nous avons suggérées au chapitre 3.

L'en-tête

L'en-tête **<head>...</head>** n'est pas strictement obligatoire, mais une page digne de ce nom peut difficilement s'en passer. En principe, les éléments installés par l'en-tête ne sont pas vus par le visiteur, ils agissent sur le comportement du site et ils influencent la façon dont le navigateur va afficher les éléments installés dans <body>....</body>.

Parmi les éléments qu'on peut trouver dans l'en-tête et que nous étudierons plus tard, citons :

- ✓ la référence à un fichier de styles CSS extérieur ;
- ✓ la référence à un fichier JavaScript (programme exécuté en local) extérieur ;
- ✓ un morceau de programme JavaScript.

Intéressons-nous dès maintenant aux éléments suivants.

<title>...</title> Le contenu de la balise sera reproduit sur la barre de titre du navigateur. Cet élément peut être pris en compte par les moteurs de recherche et, en y incorporant des mots clés qui caractérisent votre site, vous pouvez favoriser son référencement. Ce contenu est créé par NVU lors de la première sauvegarde.

Exemple :

```
<title>Les polyèdres réguliers convexes</title>
```

La place sur la barre de titre étant comptée, vous devez limiter le nombre de mots clés. Mais nous allons voir tout de suite le moyen d'en indiquer plus.

Attention : ce titre n'apparaît pas du tout comme titre dans votre page proprement dite, il faut utiliser les balises <h1>, <h2>, *etc.*, après <body>.

<meta /> Le premier usage de cette balise est de donner des informations aux moteurs de recherche. La première forme est précisément pour les mots clés :

```
<meta name="keywords" content="polyèdres, polygones,
régulier, mathématiques" />
```

Là, vous pouvez mettre autant de mots clés que nécessaire pour bien caractériser votre site. D'autres name= sont possibles, par exemple :

```
<meta name="author" content="Daniel-Jean David" />
<meta name="description" content="site personnel" />
```

Il faut une balise <meta /> pour chaque rubrique.

Le deuxième usage demande une action au navigateur ou oriente son travail. Voici les trois exemples les plus souvent rencontrés :

```
<meta http-equiv="refresh" content="20" />
```

fait recharger la page toutes les 20 secondes. C'est utile pour une page qui montre l'image d'une webcam et qui est mise à jour très souvent sur le serveur. N'en abusez pas car cela génère du trafic sur le réseau.

```
<meta http-equiv="refresh" content="0;
URL=http://www.autresite.fr" />
```

redirige immédiatement (0 seconde) vers le site indiqué.

```
<meta http-equiv ="content-type" content="text/html;
charset=ISO-8859-1" />
```

prévient le navigateur de la nature du contenu du fichier et du jeu de caractères utilisé. ISO-8859-1 (Latin 1) convient à la plupart des langues occidentales. UTF-8 comprend encore plus de langues.

Coup de main

Cette balise doit être tout au début, juste après <head>.

Coup de main

Les sauvegardes par votre logiciel d'édition de texte doivent utiliser le même code. Avec Notepad2, appelez **Fichier** ▶ **Code**. Choisissez **ANSI** pour être compatible avec ISO-8859-1 et **UTF-8** pour UTF-8. Vous pouvez fixer UTF-8 par défaut avec **Fichier** ▶ **Code** ▶ **Défaut.** Dans BBEdit, vous pouvez choisir le code dans les options de sauvegarde, mais il le fait souvent automatiquement d'après votre balise meta.

Coup de main

NVU installe la balise <meta /> voulue lorsque vous choisissez le code dans **Tools** ▶ **Preferences**.

Le corps de la page

Le fichier Web le plus rudimentaire se réduit à **`<html> </html>`**. Bien sûr, il n'affiche rien. `<html><body> </body></html> est` un peu moins rudimentaire. Voici le fichier *vide .htm* qui peut vous servir de base pour tous vos développements. Vous l'avez en téléchargement.

```
<!DOCTYPE html PUBLIC "-//W3C//DTD XHTML 1.0 Strict//EN"
      "http://www.w3.org/TR/xhtml1/DTD/xhtml1-strict.dtd">
<html xmlns="http://www.w3.org/1999/xhtml">
<head>
  <meta content="text/html; charset=UTF-8"
http-equiv="content-type" />
  <title> </title>
</head>

<body>

</body>
</html>
```

Web Design Toy

Vous êtes maintenant prêt à implanter des éléments dans une page. Avant, découvrons un petit logiciel téléchargeable gratuitement et très utile, Web Design Toy : ce n'est pas un jouet, mais un outil d'apprentissage qui permet de tester des balises (X)HTML isolées pour voir leur effet. L'écran est en deux parties : à gauche, vous tapez le texte (X)HTML à essayer et vous voyez immédiatement le résultat à droite. Notez que NVU aussi peut servir à l'apprentissage de XHTML : il suffit de créer un élément avec les commandes de NVU en mode normal puis de regarder le texte XHTML qui le produit en mode source. Pour comprendre comment fonctionne Web Design Toy, tapez le texte en mode source puis passez au mode normal.

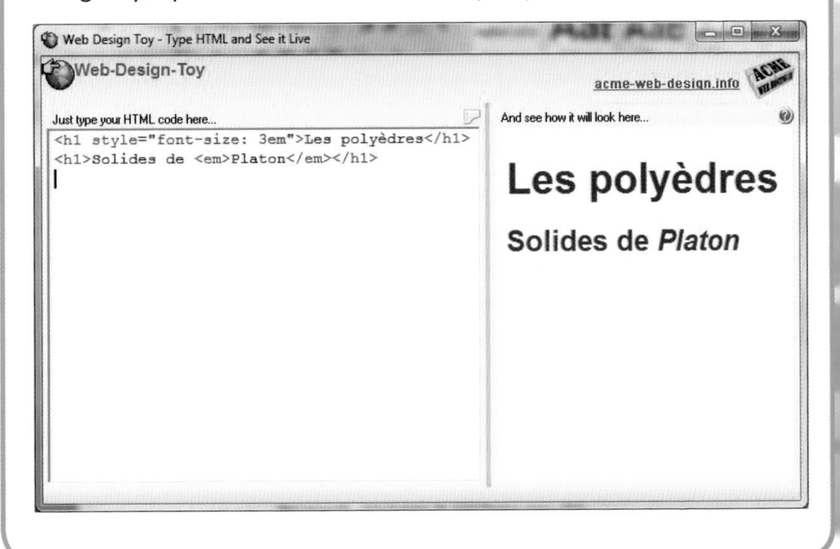

Mettez le texte en forme

La manière la plus simple d'implanter du texte dans votre page est de l'écrire... entre **<body>** et **</body>**. Il sera affiché tel quel. Pas tout à fait : les alinéas et les espaces multiples ne seront pas respectés ; un espace multiple sera rendu par un seul espace et, au lieu d'aller à la ligne, le navigateur affichera un espace. Il ira à la ligne en fonction de la largeur de la fenêtre.

Pour les espaces multiples, utilisez l'entité   autant de fois qu'il faut. Pour aller à la ligne, implantez une balise <br />.

Une façon de s'en tirer est d'utiliser <pre>…</pre>. Les espaces et les alinéas sont respectés dans son contenu, de sorte que, entre <pre> et </pre>, le simple Bloc-notes fait l'effet d'un éditeur (X)HTML WYSIWYG.

Normalement, les navigateurs utilisent par défaut une police à largeur fixe en présence d'une balise <pre>, mais vous pouvez la changer. Une telle police est nécessaire pour que les alignements soient respectés, dans un tableau par exemple.

```
<pre>
Polyèdre    Facettes    Arêtes   Sommets
Tétraèdre       4          6        4
Cube            6         12        8
Octaèdre        8         12        6
</pre>
```

```
Polyèdre    Facettes    Arêtes   Sommets
Tétraèdre       4          6        4
Cube            6         12        8
Octaèdre        8         12        6
```

Paragraphes

La balise **<p>...</p>** installe un paragraphe. Il n'y a normalement pas de saut de ligne à l'intérieur. Par défaut, il apparaît un double interligne entre deux paragraphes consécutifs ; ce comportement peut être modifié par une règle de style.

Balises portant sur des fragments de texte

La balise **<strong>...</strong>** indique que son contenu (un mot ou plus) est important et doit être renforcé. Voici d'autres balises de la même catégorie :

✓ **<em>...</em>** met en valeur un texte (*emphasis* en anglais).

✓ **<code>...</code>** cite un programme informatique.

✓ **<var>...</var>** cite une variable informatique.

✓ **<cite>...</cite>** cite du texte.

✓ **<samp>...</samp>** donne un exemple.

✓ **<dfn>...</dfn>** fournit une définition.

✓ **<kbd>...</kbd>** représente une frappe au clavier.

Ces balises sont dites « logiques », par opposition aux suivantes qui sont « physiques » car elles spécifient précisément comment le navigateur doit afficher le contenu :

✓ **<b>...</b>** met en gras.

✓ **<i>...</i>** met en italique.

✓ **<u>...</u>** souligne.

✓ **<tt>...</tt>** fournit des caractères machine à écrire.

✓ **<big>...</big>** augmente la taille des caractères.

✓ **<small>...</small>** diminue la taille des caractères.

Les balises suivantes constituent une catégorie intermédiaire :

✓ **_{...}** met en indice.

✓ **^{...}** met en exposant.

Paramètres

Les paramètres suivants peuvent se trouver dans la plupart des balises.

✓ **id** attribue un nom à l'élément ; ce nom sert à désigner l'élément dans un programme JavaScript ou une feuille de styles. Exemple :`<p id="intro">`.

✓ **class** définit une catégorie pour l'élément, ce qui servira dans une feuille de styles. Exemple : `<p class="important">`.

✓ **style** définit un style dans la balise. Exemple : `<h1 style="color: blue;">`.

✓ **title** définit le texte affiché dans une info-bulle quand le curseur souris est sur l'élément.

Créez des titres

Les balises **<h1>...</h1>,...,<h6>...</h6>** implantent un titre, du plus important au plus subalterne. Par défaut, les navigateurs utilisent des tailles de caractères décroissantes, mais les styles vous permettront de spécifier la forme que vous voudrez.

Créez des listes

Quelques balises servent à créer des listes :

✓ **<ul>...</ul>** implante une liste non numérotée (à puces) ; les éléments successifs sont entre **<li>...</li>**.

✓ **<ol>...</ol>** implante une liste numérotée ; les éléments sont entre **<li> ...</li>.** Plusieurs listes (de même type ou non) peuvent s'imbriquer.

```
<ol>
<li>Mammifères</li>
<ul><li>Chat</li>
<li>Chien</li></ul>
<li>Oiseaux</li>
<ul><li>Canard</li>
<li>Corbeau</li></ul>
</ol>
```

1. Mammifères
   - Chat
   - Chien
2. Oiseaux
   - Canard
   - Corbeau

✓ Entre <ul> ou <ol> et le premier <li>, **<lh>...</lh>** permet d'implanter un texte d'en-tête.

✓ **<dl>...</dl>** crée une liste comme un glossaire. Le contenu est formé de couples **<dt>**mot à définir **</dt> <dd>**définition**</dd>**.

```
<dl>
<dt>Cube</dt>
<dd>Polyèdre à 8 facettes
carrées.</dd>
<dt>Tétraèdre</dt>
<dd>Polyèdre à 4 facettes
triangulaires.</dd>
</dl>
```

Cube
    Polyèdre à 8 facettes carrées.
Tétraèdre
    Polyèdre à 4 facettes triangulaires.

Insérez des images

Les images offrent un moyen très important pour rendre une page Web attractive, que ce soit pour illustrer un exposé avec des figures, pour montrer la beauté d'un site (touristique, pas Web) ou pour partager des photos de famille. Or il est très facile d'incorporer une image dans une page Web. Pour cela, il faut deux choses :

- ✓ Construire ou se procurer le fichier image voulu d'extension .gif, .jpg ou .png.
- ✓ Implanter dans la page une balise <img /> dont le paramètre obligatoire src spécifie le fichier image concerné. Il va sans dire que le fichier image devra être envoyé chez l'hébergeur comme tous les fichiers constituant votre site.

Sous sa forme la plus simple, une image s'installe par :

```
<img src="URL du fichier image" />
```

Le paramètre obligatoire **src** fournit la désignation du fichier image (.gif, .jpg ou .png) concerné. Dans ce livre, nous considérerons que tous les fichiers du site seront dans le même dossier ; donc le nom du fichier suffira à former la désignation. Exemple : *schema1.gif*.

Paramètres

Nous verrons plus loin des exemples de **id** et **style**. Il est recommandé d'introduire un texte d'info-bulle par **title** pour fournir un texte de description de l'image, indiquant notamment son encombrement en octets pour donner au visiteur une idée du temps de chargement.

alt permet aussi de fournir un texte de description de l'image. Il est normalement affiché soit si le navigateur (bien ancien !) ne gère pas les images, soit si l'internaute a choisi d'inhiber les images afin de gagner le temps de leur chargement. Dans ce cas, il est impératif de fournir un texte pour alt afin que le visiteur sache de quelle image il est privé. Comme les navigateurs gèrent ce paramètre comme ils veulent, il est judicieux de fournir à la fois alt et title. Exemple :

```
<img src="nicole.jpg" alt="Photo de ma femme"
title=" Photo de ma femme "  />
```

Coup de loupe

Le texte de alt, tout en n'étant pas trop long, doit donner une idée de l'image. Exemples : au lieu de alt="Le lac" mettre alt="Les rives du Lac Miramach sont splendides" ; au lieu de alt="Logo de la Ganef Bank", mettre alt="Le logo de la Ganef Bank représente une liasse de billets".

eight et **width** définissent respectivement la hauteur et la largeur d'affichage de 'image. Les valeurs s'entendent en pixels. Exemple :

```
<img src="schema1.gif" width="300">
```

Bien sûr, l'image a sa hauteur et sa largeur propres. Si un seul des paramètres est ourni, l'image sera affichée à l'échelle. Dans l'exemple ci-dessus, supposons que es dimensions propres soient hauteur 400 et largeur 600 ; l'image sera affichée . l'échelle ½. Si les deux paramètres sont fournis avec des proportions respecées (par exemple, height="200" width="300"), l'image sera à l'échelle ; si les proortions ne sont pas respectées, le facteur d'échelle de chaque dimension sera ppliqué et l'image sera déformée. Si vous spécifiez height="200" width="400", 'image sera « aplatie » car la hauteur sera multipliée par un demi, mais la largeur ar deux tiers.

i aucun des deux paramètres n'est fourni, l'image est affichée dans ses dimenions naturelles.

Coup de main

Même pour afficher l'image dans ses dimensions naturelles, fournir les deux valeurs (dans notre exemple, height="400" width="600") fait gagner un peu de temps car le navigateur « connaît » la taille d'affichage sans attendre que l'image soit téléchargée, donc il peut préparer d'autres éléments pendant que l'image se charge.

.es autres paramètres concernent la présentation de l'image ; leur utilisation est léconseillée puisqu'il vaut mieux utiliser les styles pour la mise en forme.

Ajoutez des liens

Voici un élément essentiel de (X)HTML. HTML signifie *HyperText Markup Language*, langage de marquage pour l'hypertexte. Une page Web est formée d'hypertexte, c'est-à-dire de texte où, à certains endroits, on peut être renvoyé à un autre endroit pour trouver une explication ou un complément.

Un tel renvoi s'appelle un *lien*. Le lien est signalé dans la page par un petit texte (comme « Cliquez ici ») ou une image. C'est la *matérialisation* du lien. Lorsqu'il est dessus, le curseur souris prend la forme d'une main et le texte est souvent souligné et d'une couleur spéciale ; nous verrons que les styles vous permettent d'agir sur ces détails. L'endroit où on est envoyé lorsqu'on clique sur le lien s'appelle la *cible* du lien. « Cliquer sur le lien » signifie en fait « cliquer sur la matérialisation du lien ».

Il y a trois sortes de liens :

- ✓ **Type 1.** Lien vers un autre emplacement de votre page. Ce type de liens n'est utile que pour des pages très longues qui demandent un important défilement écran. Il est maintenant peu employé, car la tendance est, comme nous l'avons conseillé, de faire des pages courtes, donnant des informations bien délimitées.
- ✓ **Type 2.** Lien vers une autre page de votre site.
- ✓ **Type 3.** Lien vers une page d'un autre site.

Créez un lien vers un emplacement de la même page

Un lien de type 1 exige deux couples de balises **<a>...</a>**, un à l'emplacement cible et un à l'emplacement de départ. Supposons que, depuis un endroit d'une page, on veuille renvoyer vers le haut de la page. En haut de la page, on écrira :

```
<a id="haut"></a>
```

À l'emplacement de départ, on écrira :

```
<a href="#haut">Retour en haut de la page</a>
```

On voit qu'à l'emplacement d'arrivée, la balise n'a pas de contenu. Elle utilise le paramètre **id** ou **name** qui donne un nom à la cible ; on dit qu'elle constitue un

ncre, ce qui explique le nom « a » de la balise. À l'emplacement de départ, la base a un contenu qui sera affiché et donc formera la matérialisation du lien. Cette
alise <a> a le paramètre **href** dont la valeur est le même nom que la cible, mais
récédé d'un #.

réez un lien vers une autre page

ue ce soit vers une autre page de votre site ou vers une page d'un site étranger,
n'y a qu'un couple **<a>...</a>** puisque seul l'emplacement de départ est dans
page en cours d'écriture. Cette balise a le paramètre **href** (*hypertext reference*)
: sa valeur est l'URL de la page cible. C'est à propos de cette URL que les diffé-
ences entre le type 2 et le type 3 vont se faire sentir.

RL cible

our un lien vers un autre site, l'URL est toujours de la forme *protocole_site/rep/
ep/fichier*. Éventuellement, le fichier n'est pas spécifié si on veut arriver à la page
accueil du site.

rotocoles et fichiers

e protocole est http:// dans la plupart des cas. On peut aussi trouver https://
ttp sécurisé), ftp:// (transfert de fichiers), mailto: (envoi d'un e-mail) ou javas-
ipt: (exécution d'un script).

ous avons déjà dit que le fichier ainsi spécifié est le plus souvent un fichier .htm,
ais on peut aussi spécifier un fichier .php (cela déclenchera son exécution sur le
erveur), un fichier image .gif, .jpg ou .png (l'image s'affichera sur toute la page), un
chier document .pdf ou .doc (le navigateur proposera de visualiser le document
u de le télécharger).

épertoires

our une page d'un site extérieur, vous n'avez pas le choix, il faut toujours em-
oyer la désignation *protocole_site/rep/srep/fichier* dite « absolue complète ».

our une page de votre propre site, la désignation peut se simplifier. Si la page
ppelée est dans le même sous-répertoire que la page appelante – ce qui est le
as lorsque le site n'a qu'un seul répertoire –, la désignation se réduit au nom du
chier. Nous nous placerons toujours dans cette situation pour ce livre.

Autres paramètres

Pour un lien vers une autre page, la balise <a> admet aussi comme paramètre **accesskey**, qui permet d'activer le lien par une combinaison de touches du cla vier (cela peut faciliter l'accessibilité, comme nous le verrons plus loin dans ce ouvrage), **title**, qui permet de définir un texte d'info-bulle, et **target**, qui perme d'imposer que la page cible s'ouvre dans une autre fenêtre.

En l'absence de target, la page cible vient à la place de la page appelante. Spécifie target="_blank" pour ouvrir une nouvelle fenêtre ou un nouvel onglet pour page cible. Pour un lien vers un site extérieur, cela permet de bien montrer a visiteur qu'on passe à un nouveau site.

Conseils pour les liens

Rien n'énerve plus les internautes que de cliquer sur un lien et de ne pas atteindre la page escomptée. C'est pourquoi vous devez être particulièrement attentif quand vous créez des liens.

- ✓ Assurez-vous qu'il n'y ait aucune erreur de frappe dans l'URL cible et que le clic aboutisse quelque part. Au cours de la vie de votre site, vérifiez de temps en temps que les sites extérieurs que vous appelez existent toujours (des sites disparaissent tous les jours) et qu'ils ont gardé leur intérêt.
- ✓ Veillez à ce que la matérialisation du lien décrive correctement et honnêtement ce que l'internaute va trouver : pas d'accroche mirobolante qui ne mène à rien. En outre, évitez les clics « gigogne » où il faut passer par plusieurs pages avant d'obtenir ce qui était annoncé dès le premier lien. Le texte du lien est obligatoirement succinct, mais vous pouvez utiliser le paramètre **title** pour fournir une description plus précise (ou un avertissement) dans l'info-bulle.

Créez un lien virtuel (ou faux lien)

On peut être amené à créer un lien dont on ne veut pas qu'il entraîne un chang ment de page. C'est utilisé soit pour déclencher un script, soit pour rendre un él ment sensible aux événements souris : avec les anciens navigateurs, seule la balis <a> obéit à :hover que nous verrons dans le chapitre 5. Il suffit alors de spécifie

```
<a href="#"><balise rendue sensible à :hover></a>
```

Gérez la navigation

Les liens permettent de passer d'une page à une autre dans votre site. La navigation est le recensement des passages qui doivent être ménagés d'une page à l'autre. Elle doit être organisée logiquement en fonction de la structure du site. Revoyez les différentes structures au chapitre 1.

À partir d'une certaine complexité, la présence d'un menu s'impose. Certains menus sont déroulants : les sous-rubriques d'une rubrique n'apparaissent que si on appelle la rubrique. Un menu peut facilement être réalisé sous la forme d'une liste.

```
<ul>
<li><a href="paris.htm">Paris</a></li>
<li><a href="lyon.htm">Lyon</a></li>
<li><a href="marseille.htm">Marseille</a></li>
<li><a href="lille.htm">Lille</a></li>
</ul>
```

Créez des liens images

Une image peut constituer la matérialisation d'un lien autant qu'un texte et peut-être même mieux, puisqu'on dit « une image vaut mieux qu'un grand discours ». Pour cela, il suffit d'insérer la balise <img /> entre <a> et </a>. Dans l'exemple suivant, *chat.jpg* (photo d'un chat) permet de vous rendre sur le site des amis des chats.

```
<a href="http://www.amisdeschats.fr">
<img src="chat.jpg" alt="Chat" title="Chat" height="150"/>
</a>
```

Si le visiteur a inhibé l'affichage des images, les textes procurés par les paramètres alt permettront de matérialiser le lien.

Imagettes

Pour qu'un lien agisse, il faut que l'internaute clique dessus, alors qu'une image est automatiquement chargée dès que le navigateur lit la balise <img />. Si une page contient beaucoup d'images et que celles-ci occupent beaucoup de mémoire, chacune mettra un certain temps à se charger et ce temps multiplié par le nombre d'images semblera long au visiteur.

La solution est d'implanter des imagettes. Pour chaque image, on crée une version beaucoup plus petite et on implante un lien de la forme :

```
<a href="grande_image.jpg"><img src="imagette.jpg" /></a>
```

Les imagettes seront rapides à charger. S'il le souhaite, le visiteur pourra voir certaines images en grand ; dans ce cas, il acceptera plus facilement d'attendre.

Coup de loupe

Il faut un fichier spécial pour l'imagette : si vous avez le même fichier pour l'image et l'imagette (en jouant sur les paramètres de taille), l'imagette sera aussi longue à charger que l'image. Pour créer l'imagette, chargez la grande image dans irfanview et utilisez **Image ▶ Resize/resample**.

Créez des tableaux

Balises essentielles

Il est très facile de créer un tableau en (X)HTML, il suffit d'utiliser les trois balises fondamentales : <table>...</table>, qui entoure tout le tableau, puis, pour chaque ligne, <tr>...</tr> (*table row*), et, dans chaque ligne, autant de <td>contenu de la cellule</td> qu'il y a de cellules (td est l'abréviation de *table data*).

Le contenu de chaque cellule peut être n'importe quoi : du texte le plus souvent mais aussi une (des) image(s), des paragraphes, et même un tableau interne.

Normalement, les lignes doivent avoir le même nombre de colonnes et les colonnes doivent avoir le même nombre de lignes, mais on peut regrouper des cellules comme nous le verrons.

- ✓ **<table>...</table>** définit le tableau. Tous les paramètres sont optionnels.
- ✓ **<tr>...</tr>** définit une ligne.
- ✓ **<td>...</td>** définit une cellule.

Coup de main

Une cellule peut être vide : on écrit `...<td></td>...` Dans ce cas, avec certains navigateurs, la bordure interne disparaît, ce qui donne un aspect peu esthétique. Par conséquent, il est conseillé d'écrire `...<td> </td>...`

Paramètres

Bien entendu, les attributs communs **id**, **class**, **style**, **title**, *etc.*, sont applicables. Les tableaux ont également des paramètres particuliers.

- **cellpadding** spécifie l'espace entre le contenu d'une cellule et sa bordure.
- **cellspacing** spécifie l'espace entre les bordures de deux cellules voisines.
- **rules** spécifie des lignes de division horizontales ou verticales ; valeurs possibles : ***all***, ***cols***, ***groups***, ***none*** et ***rows***.

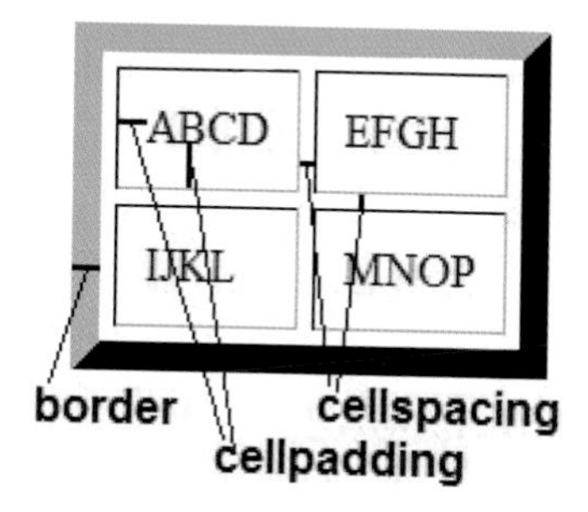

- **summary** spécifie un sommaire pour le tableau, qui sera utilisé par les lecteurs d'écran pour malvoyants ; il ne faut le fournir que pour les tableaux véritables.

Les paramètres suivants ne s'appliquent qu'aux cellules.

- **abbr** associe un résumé du contenu de la cellule utilisé par les navigateurs non visuels.
- **axis** associe une catégorie conceptuelle à la cellule.
- **colspan** spécifie le nombre de colonnes regroupées dans la cellule.
- **rowspan** spécifie le nombre de lignes regroupées dans la cellule.
- **scope** indique si la cellule constitue une information d'en-tête pour le reste de sa ligne ou de sa colonne ; valeurs possibles : ***col***, ***colgroup***, ***row*** et ***rowgroup***.

Paramètres de présentation

Ces paramètres sont déconseillés : vous devez employer des règles de style CSS pour mettre en forme le tableau. Nous les indiquons pour mémoire. Selon qu'ils sont placés dans <table>, <tr> ou <td>, ils agissent à l'échelle du tableau entier, de la ligne ou de la cellule.

✓ **align** spécifie la disposition du tableau dans la largeur de la page/l'alignement du texte dans les cellules. Valeurs possibles : ***left***, ***center***, ***justify*** et ***right***.

✓ **bgcolor** spécifie la couleur de fond.

✓ **border** définit l'épaisseur de bordure en pixels ; il y a une bordure autour de chaque cellule et une bordure générale pour le tableau.

✓ **frame** définit les bordures extérieures à utiliser ; valeurs possibles : ***above***, ***below***, ***border***, ***box***, ***hsides***, ***lhs***, ***rhs***, ***void***, ***vsides***.

✓ **heigh**t définit la hauteur de la cellule/ligne en pixels.

✓ **nowrap** la valeur "nowrap" interdit le passage à la ligne d'un texte trop long pour la largeur de cellule.

✓ **valign** spécifie l'alignement vertical ; valeurs possibles : ***baseline***, ***bottom***, ***middle*** et ***top***.

✓ **width** spécifie la largeur totale du tableau en pixels ou en pourcentage de la largeur de la fenêtre.

✓ **colspan et rowspan** permettent à une cellule d'occuper plusieurs colonnes ou plusieurs lignes ou les deux. Une ligne où un <td> a colspan=3 aura deux <td> de moins que les autres lignes. Si un <td> a rowspan=3, les deux lignes qui suivent auront un <td> en moins.

Balises supplémentaires

✓ **<caption>...</caption>** permet de spécifier un titre pour le tableau. La balise doit être après <table> avant le premier <tr>. Le seul attribut intéressant est **align**, valeurs ***top*** (défaut) ou ***bottom***, qui indique l'emplacement du titre par rapport au tableau.

✓ **<th>...</th>** est un substitut de <td> qui permet de créer une ligne d'en-tête. Les navigateurs l'affichent en gras par défaut. Les attributs sont les mêmes que ceux de <td>.

✓ **<thead>...</thead>, <tbody>...</tbody>, <tfoot>...</tfoot>** permettent de partager le tableau en un en-tête, une zone de données répétitives et un pied de tableau. Chaque balise contient un certain nombre de <tr>...</tr>. Ces balises ont les mêmes attributs que <tr>.

✓ **<colgroup>** et **<col />** définissent des formatages valables pour des groupes de colonnes. **<col />** formate un ensemble de colonnes. Attributs : align, valign, width (le plus souvent en pourcentage) et span qui indique le nombre de colonnes concernées. **<colgroup>...</colgroup>** entoure l'ensemble des balises <col />.

L'exemple suivant réunit un certain nombre de ces balises. Il renferme quelques paramètres de présentation que vous remplacerez plus tard par des styles CSS.

```
<table width="40%" border="1">
<caption>Musées de Paris</caption>
<colgroup>
<col width="16%" /><col span="3" width="28%" />
</colgroup>
<thead align="center"><tr><th scope="col" colspan="2">Musée</
th><th scope="col">Juillet</th>
<th scope="col">Août</th></tr></thead>
<tbody align="center"><tr>
<td rowspan="2">Louvre</td>
<td>Visiteurs</td><td>10000</td><td>20000</td></tr>
<tr><td>CA</td><td>200</td><td>400</td></tr>
<tr><td rowspan="2">Orsay</td><td>Visiteurs</td>
<td>5000</td><td>10000</td></tr>
<tr><td>CA</td><td>100</td><td>200</td></tr></tbody>
</table>
```

Musées de Paris

Musée		Juillet	Août
Louvre	Visiteurs	10000	20000
	CA	200	400
Orsay	Visiteurs	5000	10000
	CA	100	200

Créez des formulaires

Les formulaires offrent pratiquement le seul moyen pour les visiteurs de faire remonter des informations vers le serveur (et donc vers les gestionnaires du site). Les utilisations sont très nombreuses : achats en ligne, inscription dans des associations ou à des concours, vote dans des émissions télé, accès à un compte en banque (il faut fournir un identifiant et un mot de passe), *etc.*

Un formulaire (on dit aussi « questionnaire ») est formé de contrôles analogues à ceux des boîtes de dialogue du système d'exploitation : lignes d'entrée de données, listes de choix, cases à cocher.... Il y a en principe au moins un bouton marqué **OK** ou **Envoi** ; il déclenche ce qu'on appelle la soumission du formulaire.

Coup de main

La *soumission* est l'envoi des réponses vers le serveur. Elle est déclenchée soit par le clic sur un bouton de type submit, soit par l'exécution de la fonction JavaScript submit() à l'issue d'un programme de prétraitement qui a trouvé que les réponses sont satisfaisantes.

Normalement, la soumission appelle un programme sur le serveur. Elle est accompagnée de l'envoi vers ce programme de ce qu'on appelle la *chaîne de soumission* qui n'est autre que l'assemblage des réponses sous la forme :

```
nom1=valeur1&nom2=valeur2&...
```

Le nom correspond à l'attribut **name** de la balise qui installe le contrôle ; la valeur est la valeur qui a été fournie par le visiteur. En outre, la chaîne est codée : les caractères spéciaux sont remplacés par %xx où xx est le code du caractère en hexadécimal et les espaces sont codés « + ».

La balise <form>...</form>

Tout ce qui installe le formulaire forme le contenu d'une balise **<form>...</form>**. Elle admet les paramètres standard facultatifs **class**, **id**, **style**, **title**, *etc.* id est utile si on veut se référer à la balise dans un style.

Cette balise a également des paramètres spécifiques :

action sert à spécifier la réaction du système au formulaire ; ce paramètre est obligatoire sauf si on utilise le formulaire pour implanter un bouton dans l'unique but de déclencher un script. Généralement, action a pour valeur une URL, non pas d'une page Web, mais d'un programme à exécuter sur le serveur, souvent en PHP. Exemple : `action="traitement.php"`.

Le plus efficace est d'avoir une fonction JavaScript `pre()` qui effectue une première vérification. Deux scénarios sont alors possibles :

- ✓ pre() renvoie true si la vérification est correcte, false dans le cas contraire. On écrit :

```
<form method="post" action="traitement.php"
onsubmit="return pre()"
```

- ✓ <form> n'a plus le onsubmit ; le bouton d'envoi n'est pas de type submit et il a onclick="pre()" ; si la vérification est satisfaisante, la fonction pre() se termine par la soumission.

Les autres attributs sont facultatifs :

- ✓ **method** a pour valeurs ***get*** et ***post*** ; elles indiquent comment la chaîne de soumission est envoyée au serveur. Avec **get**, elle est concaténée à l'URL qui devient :

```
traitement.php?nom=Dupont&motdepasse=scoubidou....
```

  On voit que les données circulent en clair dans la ligne d'adresse du navigateur, ce qui n'est pas très sécurisant. Avec post, les données sont envoyées de façon invisible, donc cette méthode est souvent préférée.

- ✓ **accept** n'est à employer que si le formulaire doit envoyer des fichiers vers le serveur ; on fournit alors une liste des types MIME acceptés, comme text/plain, text/html, image/gif ou image/jpeg.
- ✓ **enc-type** indique le codage de la chaîne de soumission ; le défaut est `application/x-www-form-urlencoded` et, s'il y a des fichiers à faire remonter, il faut spécifier `multipart/form-data`.
- ✓ **name** donne un nom au formulaire ; ce n'est obligatoire que si on veut se référer au formulaire dans un script JavaScript ; voir plus loin la discussion sur la coexistence de name et id.

La balise <input />

La balise `<input />` implante la plupart des contrôles ; le genre de contrôle (zone d'entrée, case à cocher, bouton...) est déterminé par l'attribut type. On a d'abord les attributs standard **class**, **style**, **title**, **id** et **name**, puis :

type décide du genre de contrôle. Les valeurs possibles sont :

- ✓ ***text*** (ligne d'entrée de texte), c'est la valeur par défaut.
- ✓ ***password*** comme text, mais ce que frappe l'utilisateur est caché.
- ✓ ***checkbox*** (case à cocher) ; on peut cocher plusieurs cases d'un même ensemble.
- ✓ ***radio*** (bouton radio) ; on ne peut sélectionner qu'une option dans un ensemble.
- ✓ ***file*** qui permet de choisir un fichier à envoyer vers le serveur.
- ✓ ***submit*** qui installe le bouton d'envoi des données.
- ✓ ***reset*** qui installe un bouton de remise à zéro des données.
- ✓ ***button*** qui installe un bouton ordinaire ; il faut fournir un paramètre onclick="fonction JavaScript" pour définir son action.
- ✓ ***image*** comme submit, mais le bouton est illustré par une image.
- ✓ ***hidden*** qui est invisible ; il permet d'envoyer une donnée que l'utilisateur ne voit pas.

Voici quelques exemples avec le rendu correspondant.

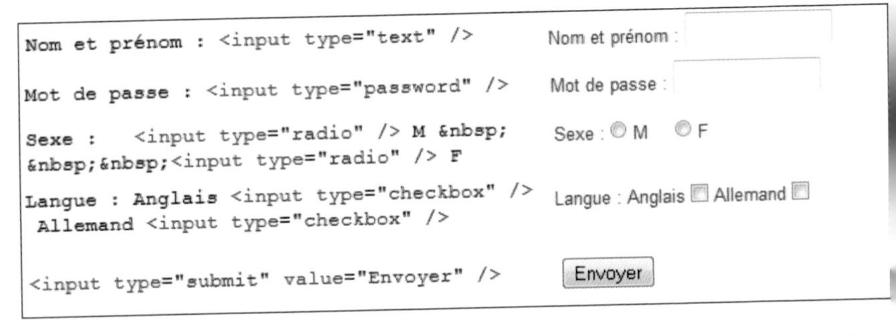

Coup de loupe

Les exemples qui précèdent n'ont pas tous leurs paramètres : ils n'ont pour but que de montrer l'aspect des contrôles.

Les autres paramètres applicables à <input /> dépendent du type.

✓ **alt** spécifie un texte alternatif (seulement pour image).

✓ **accept** liste les types MIME acceptés (seulement pour file).

✓ **accesskey** spécifie un caractère servant de touche de raccourci pour favoriser l'accessibilité ; plus de détails au chapitre 8.

✓ **checked** (pour checkbox ou radio) ; on écrit checked="checked" pour que l'option soit sélectionnée par défaut.

✓ **disabled** : on donne la valeur "disabled" pour désactiver le contrôle ; la donnée ne peut pas être changée et elle n'est pas envoyée.

✓ **maxlength** (pour text ou password) ; indique le nombre maximal de caractères qu'on peut entrer ; ne pas confondre avec size ; le défaut est 0=illimité.

✓ **readonly** (pour text ou password) ; si on donne la valeur "readonly", la donnée ne peut pas être changée, mais elle est envoyée (différent de disabled).

✓ **size** (text, password, file) ; spécifie la taille en caractères de la zone d'entrée ; indépendant de maxlength : les caractères défilent si la taille est trop petite ; on peut aussi fixer la taille par la propriété width dans un style, ce qui a l'avantage de pouvoir s'appliquer à tous les contrôles.

✓ **src** (image) ; fichier source de l'image.

✓ **tabindex** spécifie le numéro d'ordre du contrôle lorsqu'on passe d'un contrôle à un autre par la touche tabulation.

✓ **value** : pour texte, spécifie la donnée qui sera affichée dans le contrôle et servira de valeur par défaut transmise si le visiteur ne l'a pas changée ; pour password, aucun sens ; pour checkbox et radio, cette valeur n'est pas affichée, mais c'est elle qui sera transmise, donc **il est nécessaire d'en spécifier une différente pour chacune des options d'un ensemble de boutons radio**. Pour les boutons (submit, reset et button), c'est le texte qui apparaît dans le bouton.

Coup de loupe

On peut spécifier à la fois l'attribut id et l'attribut name pour <form> et <input> et, normalement, avec le même nom (sauf pour le type radio). Cela peut sembler redondant, mais en fait non, car les deux attributs ne jouent pas tout à fait le même rôle.

id est nécessaire si vous voulez référencer le contrôle dans un style ou dans une balise <legend>. Pour cela, name ne convient pas.

Supposons qu'on ait à la fois id et name="FF" pour le formulaire et id et name="C" pour un contrôle ; alors, en JavaScript, ce contrôle pourra être désigné par : `document.forms['FF'].elements['C']` ou bien par : `document. FF.C`. Si on n'a que id et pas name, seule la première désignation (la plus longue) fonctionnera.

Maintenant, pour un contrôle input ou les autres contrôles d'entrée de données détaillés dans les sections suivantes, name est nécessaire, car c'est le nom fourni par name qui est utilisé dans la chaîne de soumission. S'il n'y a pas de name, la donnée n'est pas transmise. Les boutons n'ont pas besoin de name : il n'y a rien à transmettre. Ils peuvent avoir id pour style et légende.

Pour checkbox, chaque case doit avoir un name différent, puisqu'elles peuvent toutes être cochées. Pour un ensemble de boutons radio, tous les boutons radio de l'ensemble doivent avoir le même name, c'est ce qui les identifie comme faisant partie de l'ensemble. En revanche, les id doivent être tous différents s'ils sont présents. Pour identifier le bouton sélectionné dans le traitement, le mieux est que chaque bouton ait value=... avec une valeur différente dans sa balise car, dans la chaîne de transmission, on aura <<name>>=<<value>>.

<label>...</label>

Bien entendu, les contrôles doivent être accompagnés de textes qui indiquent quelles données les visiteurs doivent entrer. Cela peut être du texte simple. Notons qu'il faut aussi des <br /> ou des <p>, sinon les contrôles sont à plusieurs sur la ligne.

Mais il est plus avantageux d'utiliser une balise **<label>** dont le contenu sera le texte à afficher : l'avantage est qu'on peut lui appliquer des règles de styles. Outre les paramètres standard, lorsqu'elle s'applique à un contrôle, la balise admet l'attribut `for="X"` qui donne l'id du contrôle concerné. Exemple :

```
<label for="nom">Entrez votre nom : </label>
<input type="text" id="nom" name="nom" />
```

Si on ne spécifie pas for, la légende s'applique au contrôle qui suit. On peut alors incorporer le contrôle entre <label> et </label>.La légende est avant ou après le contrôle selon que le texte est avant ou après.

<button>...</button>

Cette balise implante un bouton. Le contenu est obligatoire puisque c'est le texte qui apparaîtra dans le bouton. Le contenu peut incorporer une image avec <img />. Outre les attributs standard, **type** précise la fonction du bouton (valeurs possibles : ***submit***, ***reset*** ou ***button***) ; dans ce dernier cas, il faut onclick="fonction JavaScript".

<textarea>...</textarea>

À la différence de <input type="text" />, cette balise procure une zone d'entrée rectangulaire où l'internaute peut taper plusieurs lignes de texte. Outre les paramètres standard, parmi lesquels **name** est obligatoire pour transmettre la donnée, les attributs obligatoires sont :

- ✓ **cols** : nombre de caractères par ligne.
- ✓ **rows** : nombre de lignes.

Ces paramètres définissent les dimensions d'affichage ; le texte passe à la ligne si on dépasse la largeur, ou, s'il n'y a pas de séparations de mots, il s'établit une barre de défilement horizontale. Il s'établit une barre verticale si le nombre de lignes est dépassé.

Les attributs suivants, que nous avons déjà vus pour <input />, sont facultatifs : **accesskey**, **disabled**, **readonly** et **tabindex**.

Le contenu de la balise est le texte affiché initialement. Il a vocation à être remplacé par ce que frappe le visiteur. Exemple :

```
<label for="avis">Votre commentaire : </label>
<textarea id="avis" name="avis" rows="5"
cols="40">RAS</textarea>
```

<select>...</select>

Cette balise installe une liste de choix déroulante. Son contenu est formé de balises <option>...</option>, une pour chaque option proposée. À part les attributs standard parmi lesquels **name** est obligatoire, on a les attributs facultatifs **disabled** et **tabindex**, plus :

- ✓ **size** qui spécifie le nombre de lignes d'options visibles ; si le paramètre est absent (défaut : 1), le contrôle a une seule ligne et la liste est déroulante ; sinon, la liste a la hauteur indiquée et il y a une barre de défilement si les options sont plus nombreuses que la hauteur ne le permet.
- ✓ **multiple.** multiple="multiple" permet de choisir plusieurs options ; dans ce cas, on passe en mode liste non déroulante.

<option>...</option>

Cette balise installe une option à proposer dans le <select> parent. Son contenu ne peut être que du texte qui sera affiché dans la liste. À part les attributs standard (**name** n'est pas utile), les paramètres facultatifs sont les suivants :

- ✓ **disabled** (déjà vu).
- ✓ **label** fournit un texte qui sera affiché à la place du contenu ; cela peut permettre d'avoir un texte plus court, donc plus accessible, mais peu de navigateurs le prennent en compte.
- ✓ **selected.** selected="selected" fait que cette option est présélectionnée à l'initialisation (mais le visiteur pourra la désélectionner).
- ✓ **value.** Si elle est présente, c'est cette valeur qui sera transmise si l'option est sélectionnée ; si elle est absente, c'est le texte contenu qui sera envoyé.

<optgroup>...</optgroup>

On peut former des groupes d'options : on crée un groupe en entourant les <option> voulues entre <optgroup> et </optgroup>. Outre les attributs standard et

disabled, <optgroup> a le paramètre obligatoire **label** qui fournit un titre en tête du groupe dans la liste.

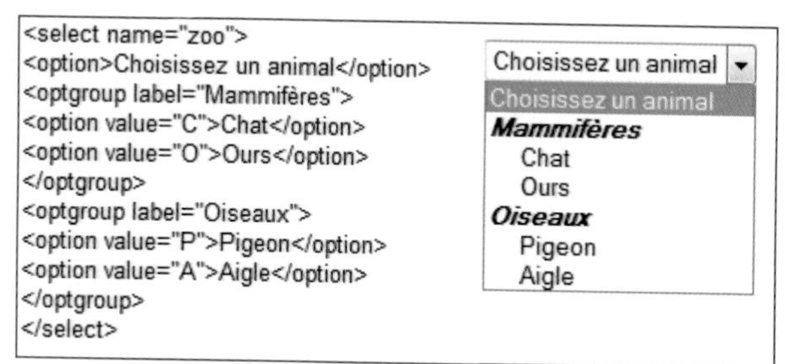

Coup de main

En l'absence de selected, c'est la première option qui est présélectionnée. On met généralement une option vide ou une option avec un texte du genre « Choisissez » pour que les utilisateurs ne valident pas machinalement sans avoir choisi.

<fieldset>...</fieldset>

Cette balise permet de subdiviser le questionnaire en sous-ensembles de questions groupées par thèmes, par exemple, pour s'inscrire à un enseignement, les questions relatives à l'état civil, puis au choix du cours.

Donc on forme un sous-groupe en plaçant les contrôles voulus entre <fieldset> et </fieldset>. La plupart des navigateurs affichent les contrôles dans un rectangle.

<fieldset> n'a que les attributs standard facultatifs ; **name** n'est pas utile, **id** l'est pour des raisons de style.

<legend>...</legend>

Cette balise dont le contenu ne peut être que du texte installe ce dernier comme titre pour le groupe. Les navigateurs courants affichent ce texte sur le segment supérieur du cadre du groupe. Outre les attributs standard facultatifs et peu utiles, cette balise permet de spécifier une touche de raccourci par **accesskey**.

Construisez le site des polyèdres avec XHTML

Vous allez mettre en pratique vos connaissances en XHTML en concevant une deuxième version du site des polyèdres : vous allez créer un dossier *sitepolyèdres2* et utiliser Notepad2 (ou un autre logiciel si vous préférez).

Coup de loupe

Comme nous indiquons le code UTF-8 dans la balise <meta />, il est impératif que les fichiers soient sauvegardés avec ce code. Donc spécifiez-le dans **Fichier ▶ Code de Notepad2** ou dans la commande équivalente du logiciel que vous utilisez. Sinon, les caractères spéciaux seront incorrectement gérés par les navigateurs.

Les pages détails des polyèdres

Ce sont les plus simples. Voici *cube.htm*. Les autres sont à l'avenant (vous les avez en téléchargement).

```
<!DOCTYPE html PUBLIC "-//W3C//DTD XHTML 1.0 Strict//EN" "http://
www.w3.org/TR/xhtml1/DTD/xhtml1-strict.dtd">
<html xmlns="http://www.w3.org/1999/xhtml">
<head>
  <meta content="text/html; charset=UTF-8"
http-equiv="content-type" />
  <title>Polyèdres-Le cube</title>
</head>
<body>
<h1>Les polyèdres réguliers convexes</span></h1>
<h2(Solides de Platon)</h2>
<h2>Le cube</h2>
<img alt="Cube" title="Cube" src="cube.jpg" /><br />
<a href="demo.htm">Retour à la vue d'ensemble</a><br />
<a href="index.htm">Retour à la page d'accueil</a>
</body>
</html>
```

Il n'appelle aucun commentaire : vous créez le fichier à partir de *vide.htm* et vous implantez successivement les titres (<title>, <h1>, <h2>), l'image et les deux liens.

index.htm

```
<h1>Les polyèdres réguliers convexes</h1>
<p>Alors qu'il existe autant de polygones réguliers
convexes que l'on veut, il n'existe que <strong>cinq
</strong>polyèdres réguliers convexes. On les appelle les
<strong>solides de Platon</strong>.</p>
<p>Cela résulte des contraintes : toutes les facettes
doivent être identiques, tous les sommets et toutes les
arêtes doivent être équivalents, chaque facette doit être
un polygone régulier et (convexité) tout le polyèdre doit
être du même côté du plan de chaque facette.</p>
<p>Ainsi, le dodécaèdre rhomboïdal<img src="dodrh.jpg"
style="width: 84px;" /> qui présente beaucoup de symétries,
n'est pas un polyèdre régulier : ses facettes, toutes
identiques, sont des losanges, donc ne sont pas des
polygones réguliers.</p>
<a href="demo.htm">Cliquez ici pour la démonstration</a>
```

Nous ne citons que ce qui est entre <body> et </body>. La seule anticipation sur la suite que nous faisons est le style dans <img /> : on réduit la largeur de l'image pour des raisons d'esthétique. Chaque paragraphe de texte est entre <p> et </p> ; <strong> met en gras. Nous réservons pour la suite la mise en rouge des mots « cinq » et « solides » de Platon. Comme il n'y a aucune autre spécification de présentation, la police utilisée est celle par défaut du navigateur ; ce ne sera probablement pas Arial.

demo.htm

Cette page est un peu plus complexe. Les paragraphes sont entre <p> et </p> comme précédemment :

```
<h1>Les polyèdres réguliers convexes</h1>
<h2>Démonstration de l'existence de seulement 5 solides de
Platon</h2>

<p>Nous avons deux contraintes : en un sommet, il faut que
se rencontrent au moins 3 facettes et la somme des angles
doit être strictement inférieure à 360° (pour qu'il soit
convexe). Examinons les cas possibles.
```

```
</p>
<p>Facettes hexagone régulier : angle au sommet 120°.
3x120=360, pas strictement inférieur à 360, donc
impossible. Et les polygones de plus de 6 côtés sont encore moins
possibles.</p>
<p>Facettes pentagone régulier : angle au sommet 108°.
3x108=324 possible ; 4x108>360, donc la seule possibilité
est 3, ce qui donne le dodécaèdre pentagonal.</p>
<p>Facettes carré : angle 90°. 3x90=270 possible ; 4x90=360
impossible, donc la seule possibilité est 3,
ce qui donne le cube.</p>
<p>Facettes triangle équilatéral : angle 60°. 3x60=180, ce
qui donne le tétraèdre régulier ; 4x60=240, ce qui donne
l'octaèdre régulier ; 5x60=300, ce qui donne l'icosaèdre
régulier (20 facettes). Impossible au delà puisque
6x60=360.</p>
<p>En résumé :</p>
```

Le plus intéressant est le tableau. La partie <thead> a une seule ligne <tr> formée de 5 cellules <th> </th>. Ensuite commence la partie répétitive <tbody> avec 5 lignes <tr> de 5 cellules. Les contenus qui tiennent sur 2 lignes d'écriture ont un <br />. La cellule qui a une image lien s'écrit par exemple :

```
<td><a href="cube.htm"><img src="cube.jpg"
style="width: 50px;" /></a></td>.
```

On a indiqué une largeur réduite pour raison esthétique. Il n'y a pas d'autre spécification de mise en forme à part la bordure dans <table>.

```
<table border="1">
<thead><tr>
<th>Nom</th><th>Image</th><th>Facettes</th><th>Arêtes</th>
<th>Sommets</th><tr></thead>
<tbody>
<tr><td>Tétraèdre</td><td><a href="tetra.htm">
<img src="tetra.jpg" style="width: 50px;" /></td>
    <td>4<br />Triangle équilatéral</td><td>6</td><td>4
</td></tr>
<tr><td>Cube</td><td><a href="cube.htm">
<img src="cube.jpg" style="width: 50px;" /></td>
    <td>6<br />Carré</td><td>12</td><td>8</td></tr>
<tr><td>Octaèdre<br />régulier</td>
<td><a href="octa.htm">
<img src="octa.jpg" style="width: 50px;" /></td>
```

```
    <td>8<br />Triangle équilatéral</td><td>12</td>
<td>6</td></tr>
<tr><td>Dodécaèdre<br />pentagonal</td>
<td><a href="dodpenta.htm"><img src="dodpenta.jpg" style="width:
50px;" /></td>
<td>12<br />Pentagone régulier</td><td>30</td>
<td>20</td></tr>
<tr><td>Icosaèdre<br />régulier</td><td>
<a href="icosa.htm">
<img src="icosa.jpg" style="width: 50px;" /></td>
    <td>20<br />Triangle équilatéral</td>
<td>30</td><td>12</td></tr>
</tbody>
</table>
<p>Pour des détails sur le polyèdre, cliquez sur
l'image.</p>
```

Voici le rendu obtenu pour le tableau.

Nom	Image	Facettes	Arêtes	Sommets
Tétraèdre		4 Triangle équilatéral	6	4
Cube		6 Carré	12	8
Octaèdre régulier		8 Triangle équilatéral	12	6
Dodécaèdre pentagonal		12 Pentagone régulier	30	20
Icosaèdre régulier		20 Triangle équilatéral	30	12

L'absence de styles se fait sentir. Essayez les modifications suivantes :

```
<body style="font-family: Arial;">
<table border="1" style="text-align: center; width: 80%;">
```

Vous avez presque l'aspect procuré par NVU. Il est donc temps de passer à l'étude des styles.

Chapitre 5

Mettez vos pages en forme avec CSS

Dans ce chapitre

- ✓ Spécifiez des styles
- ✓ Sélecteurs et règles de styles
- ✓ Éléments en ligne
- ✓ Éléments bloc
- ✓ Les couleurs
- ✓ Exemples : mettez en forme le site des polyèdres

Spécifiez des styles

Les feuilles de styles permettent de séparer complètement l'information apportée par une page Web et la mise en forme de cette page. Elles permettent aussi de s'adresser à différents médias autres que l'écran comme l'imprimante ou un téléphone mobile. Les styles doivent être spécifiques au média concerné.

Précisons quelques éléments de nomenclature. Une disposition qui fixe un paramètre bien précis (par exemple, taille de police=...) s'appelle une *règle* (de style). Un ensemble de règles s'appliquant à une même partie d'une page s'appelle une *directive*. La définition du champ d'application d'une directive est formée d'un ou plusieurs *sélecteurs* séparés par des « , ». Un sélecteur se rapporte à un élément de la page comme le contenu d'une balise. L'ensemble des sélecteurs et de la directive forme une *spécification* ou *instruction*. Le *style* d'un élément est l'ensemble des règles qui s'appliquent à lui ; ces règles peuvent venir de différents endroits.

Cette possibilité de provenances diverses explique d'ailleurs le terme CSS (*Cascaded Style Sheets*, feuilles de styles en cascade).

Placement des spécifications de styles

Les règles de styles peuvent se trouver en trois endroits :

- ✓ Dans un attribut style dans une balise, par exemple <h1 style="font-size: 2em;">.
- ✓ Dans une balise <style> dans l'en-tête de la page :

```
<style>
h1 {font-size: 2em; font-family: arial;}
p {font-size: 1.5em;}
</style>
```

- ✓ Dans un fichier à part d'extension .css. Le fichier (qu'on appelle *feuille de styles*) doit être annoncé dans une balise <link /> dans l'en-tête :

```
<link rel="stylesheet" type="text/css" href="feuilstyl.css" />
```

Le fichier .css est constitué des éléments compris entre <style> et </style>. C'est cette solution de fichier externe qui réalise le mieux la séparation données/présentation préconisée par les tenants du Web 2. Un autre avantage décisif est que la feuille de styles peut s'appliquer à plusieurs pages et même à toutes les pages du site alors qu'on ne la construit qu'une fois et qu'elle n'est téléchargée qu'une fois.

@import

Une autre manière de faire la liaison avec le fichier externe .css est d'utiliser l'instruction @import placée entre <style> et </style> dans l'en-tête.

```
<style type="text/css">
@import url(feuilstyl.css);
</style>
```

L'instruction @import peut aussi se trouver dans un fichier .css externe pour appeler un autre fichier. Comme les versions anciennes des navigateurs n'obéissent pas à @import, on peut ainsi mettre dans le fichier externe appelé par <link /> des règles simples obéies par tous les navigateurs et une instruction @import qui appelle un fichier contenant des règles réservées aux navigateurs modernes ; il est en effet préférable qu'un navigateur qui interprète mal les normes ne voie pas du tout une règle qu'il ne comprend pas plutôt que de risquer de mal l'interpréter.

media

La balise <link /> peut contenir un attribut media qui précise à quel(s) média(s) le fichier s'applique. Les valeurs possibles sont all (le défaut→ tous les médias), screen (l'écran), audio (réponse vocale), braille (pour aveugles), print (impression), handheld (PDA ou téléphone mobile), *etc.* Dans @import, on cite simplement la valeur.

```
<link rel="stylesheet" type="text/css" media="handheld"
href="sthh.css" />
@import url(stylprint.css) print;
```

Syntaxe des styles

Les exemples ci-dessus montrent que chaque règle se présente sous la forme paramètre: valeur et se termine par « ; ». Dans les balises <style> ou les fichiers .css, les directives sont dans un couple d'accolades. L'accolade ouvrante est précédée des sélecteurs ; il n'y a ni accolades ni sélecteurs dans l'attribut style puisque, là, on sait que le style s'applique à la balise concernée.

Les sélecteurs

Par balise

Une règle telle que h1, h2 {color: red;} s'applique aux contenus de toutes les balises <h1> et <h2>.

Coup de loupe

Si on veut appliquer une disposition à tous les éléments de la page, on prend body comme sélecteur.

Par identifiant

Supposons :

```
<p>Paragraphe 1</p>
<p id="p2">Paragraphe 2</p>
```

Avec la règle `#p2 {background-color: silver;}`, seul le paragraphe d'identifiant p2 sera sur fond gris.

Par classe

Supposons :

```
<h1>Titre 1</h1>
<h1 class="special">Titre 2</h1>
<p>Paragraphe 1</p>
<p class="special">Paragraphe 2</p>
```

Avec la règle .special {color: red;}, Titre 2 et Paragraphe 2 seront en rouge (ainsi que tout élément ayant la classe "special").

Avec h1.special {color: red;},seul Titre 2 (et tout élément ayant à la fois <h1> et la classe "special") sera en rouge.

Coup de main

Un sélecteur par identifiant ne peut désigner qu'un élément puisqu'un id doit être unique. En revanche, un id peut s'appliquer à un groupe d'éléments s'il est attribué à une balise <div> qui regroupe ces éléments. On peut ainsi désigner une partie de la page comme le menu de navigation et par descendance (voir ci-dessous) désigner des éléments de cette partie. Au contraire, un sélecteur par classe désigne tous les éléments auxquels on a assigné cette classe.

Coup de loupe

<div> est de type bloc et peut regrouper d'autres blocs ou éléments en ligne. <span> est un élément en ligne. Il ne peut délimiter qu'un fragment de texte.

Programmation objet

La notion de classe introduit un peu de programmation objet en ce sens qu'on peut introduire des styles caractérisés par *l'intention* du designer, indépendamment des détails de réalisation. Ainsi, on peut introduire trois classes de paragraphes : accessoire, normal et important.

```
<p class="normal">PHP est un langage de programmation...
</p>
<p class="accessoire">PHP veut dire Personal Home Page.
</p>
<p class="important">Il ne faut pas oublier les ;
en fin d'instruction.</p>
```

Cela étant, on pourra proposer :

```
p.normal {font-size: 1em;}
p.accessoire {font-size: 0.8em;}
p.important {font-size: 1.3em;}
```

mais il est facile de passer à un style plus contrasté par :

```
p.normal {font-size: 1em;}
```

```
p.accessoire {font-size: 0.8em; color: gray;}
p.important {font-size: 1.5em; font-weight: bold;}
```

Par ancêtre

Si y désigne un élément contenu dans un élément désigné par x, le sélecteur x y (x espace y) sélectionne y. Par exemple, si on a :

```
<div id="menu">
<ul>
<li><a...>Lien 1</a></li>
<li>...</li>
...
</ul>
</div>
```

```
#menu ul {list-style-type: none ;}
```

agira sur toute liste <ul> contenue dans la <div> menu, mais pas sur d'autres listes. La dépendance n'est pas forcément directe :

```
#menu  a {text-decoration: none ;}
```

enlève le souligné des liens du menu.

L'élément ancêtre peut être désigné par classe ou par balise.

Par parent

Supposons que, au lieu de x espace y, on écrive x>y, y doit être enfant direct de x. Dans l'exemple ci-dessus, li>a désigne toute balise <a> fille directe d'une balise <li>.

Choix parmi les enfants

Avec la configuration ci-dessus, ul li:first-child sélectionne le premier élément d'une liste <ul>. ul li+li désigne les éléments suivants (élément li à condition qu'il soit précédé immédiatement d'un autre li).

Par attribut

Par exemple, p[class] sélectionne tous les paragraphes à condition que leur balise ait l'attribut class. On peut spécifier une valeur. [attribut="valeur"]→ « égal à », [attribut=~"valeur"]→ « contient », [attribut|="valeur"]→ « commence par ».

Partie d'élément

Par exemple, p:first-line sélectionne la première ligne de chaque paragraphe.

p:first-letter sélectionne la première lettre, ce qui peut aider à faire des lettrines.

Pseudo-classes

Les pseudo-classes distinguent l'état d'une balise. Avec la balise <a>, on a plusieurs possibilités : a:link (non visitée), a:visited (visitée), a:focus (sélectionnée), a:hover (survolée = curseur souris dessus) et a:active (curseur souris dessus et bouton enfoncé). Internet Explorer donne le même effet pour active et focus. Pour les balises autres que <a>, Internet Explorer 7 ne comprend que hover, Firefox comprend aussi active.

Les pseudo-classes :before et :after ne sont obéies que par peu de navigateurs.

Héritage

Ceci n'est pas à proprement parler un sélecteur, mais lorsqu'un élément est contenu dans un autre, il est susceptible d'hériter certaines propriétés de mise en forme de son conteneur. Il faut deux choses : que la propriété soit héritable et qu'elle ne soit pas spécifiée pour l'élément contenu.

Coup de loupe

a.special sélectionne les balises a qui ont la classe special (par exemple, <a class="special"...>). .special a sélectionne les balises <a> qui sont contenues dans un élément ayant la classe special :

```
<div class="special">....<a...>...</a>...</div>.
```

Les règles de styles

Valeurs et unités

Une règle consiste à assigner une valeur à un attribut ou à une propriété. Cette valeur peut être un mot clé comme text-decoration: underline; ou un nombre comme width: 200px;. Un nombre peut être absolu ou relatif ; dans le cas relatif, on s'exprime souvent en pourcentage (%) par rapport à une référence qui peut être la dimension correspondante du conteneur.

Un nombre est toujours accompagné d'une unité, sauf 0. Pour une dimension, la taille d'un bloc ou d'une marge, cette unité est souvent le pixel (px) sur écran ; sur imprimante, on utilise le centimètre (cm), le millimètre (mm), le point (pt) ou le pica (pc). Pour des tailles de polices, on utilise le em (largeur de la lettre m) ; c'est une unité relative par rapport à la taille de référence héritée du conteneur, ou, pour body, la taille par défaut du navigateur.

Types d'éléments

On distingue deux catégories d'éléments (X)HTML : les éléments en ligne qui peuvent être juxtaposés sur une ligne (images, petits extraits de texte...) et les éléments bloc qui font aller à la ligne à leur apparition. Le bon sens permet de décider à quelle sorte d'éléments une spécification de styles doit s'appliquer ; un élément bloc admet toutes les spécifications alors qu'un élément en ligne ne peut en admettre que certaines.

Deux conteneurs neutres permettent de regrouper des éléments dans le but de leur attribuer par héritage un style commun : <div> qui crée un bloc et <span> qui crée un élément en ligne.

La frontière entre les deux catégories est un peu floue : les images sont un peu entre les deux. Par ailleurs, l'attribut display permet de forcer le comportement en ligne (inline) ou bloc (block) d'un élément de l'autre catégorie. Il suffit aussi d'un peu de bon sens : on n'attribuera pas une image de fond à un morceau de texte !

Le modèle de boîte

Les éléments bloc obéissent au modèle de boîte schématisé à la figure suivante : un élément a son contenu, séparé des faces internes de sa bordure par des *padding* (rembourrage en anglais) ; les faces externes de sa bordure sont séparées du conteneur par les marges.

Les éléments en ligne obéissent partiellement au modèle de boîte : ils n'ont que les padding et les margin left et right, mais possèdent bien les quatre segments de bordure.

Lorsque l'élément a une couleur de fond, les padding ont cette couleur tandis que les marges ont la couleur de fond du conteneur.

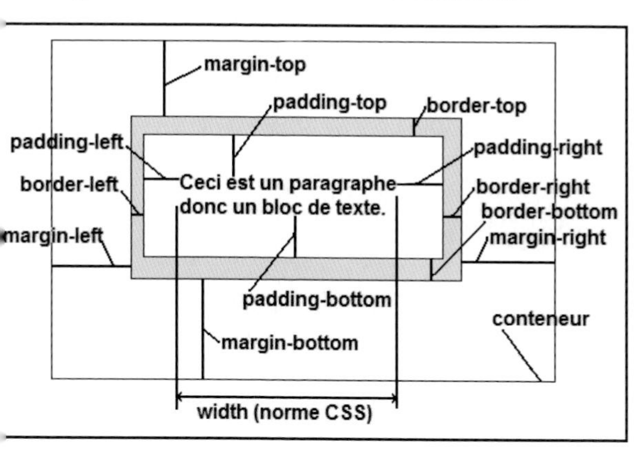

Addition des règles – conflits

Un élément peut recevoir des règles de différentes provenances : valeurs par défaut du navigateur, différents fichiers .css externes, balise <style>, attribut style dans la balise. Tant que ces règles portent sur des propriétés différentes (par exemple, police et taille), elles s'ajoutent comme si elles venaient de la même instruction.

Lorsque les règles portent sur la même propriété, il est évident qu'il y a conflit si elles demandent des valeurs différentes. Un premier critère d'arbitrage est la spécificité du sélecteur : identifiant>classe>balise. Par exemple, avec :

```
p {color: black;}
#x {color: red;}
```

le paragraphe d'identifiant x sera écrit en rouge.

Le deuxième critère est la proximité : plus la règle se trouve proche de l'élément à mettre en forme, plus elle a de préséance : donc une règle dans un fichier .css externe est dominée par une règle dans une balise <style> de la page, laquelle est elle-même dominée par une règle de l'attribut style de la balise concernée. La règle qui domine est la dernière lue par le navigateur avant d'interpréter l'élément à mettre en forme. Pour faire concorder ces deux critères, on essaiera d'implanter les règles en ordre de spécificité croissante.

Un dernier critère est d'ajouter la clause !important. Avec :

```
p {background-color: silver !important;}
#x { background-color: yellow;}
```

le paragraphe d'identifiant x sera tout de même sur fond gris clair.

Éléments en ligne

Voici les styles qui s'appliquent à tous les éléments, bloc ou en ligne. B signifie « plutôt bloc » ; H/NH : héritage automatique ou non. La valeur par défaut est soulignée.

Propriété	Description et valeurs possibles
background:	inherit ou regroupe[1] dans l'ordre -color, -image, -position, -repeat et -attachment ; B, NH.
background-attachment:	indique si l'image de fond défile avec le texte ; scroll (défile), fixed (ne défile pas), inherit ; B, NH.
background-color:	couleur de fond ; couleur (rgb, voir section sur les couleurs), transparent, inherit ; NH.
background-image:	image de fond ; url(fichier de l'image), none, inherit ; B, NH.
background-position:	positionnement de l'image de fond ; deux valeurs – x puis y en px ou % –, ou bien mots – left, center, right pour x, top, center, bottom pour y – ; B, NH.
background-repeat:	répétition de l'image si elle est plus petite que le conteneur ; repeat (répète dans les deux directions), repeat-x, repeat-y, no-repeat ; B, NH.

Propriété	Description et valeurs possibles
border:	inherit ou regroupe[1] les mêmes spécifications pour les quatre segments de bordure, dans l'ordre -width, -style et -color ; NH.
border-color:	de une à quatre[2] valeurs de couleurs pour les quatre segments de bordure ; NH.
border-style: dotted groove dashed ridge solid inset double outset	de une à quatre[2] valeurs de style de bordure parmi <u>none</u> (pas de bordure), dotted (pointillé), dashed (tirets), solid (trait continu), double (trait double), groove (creux), ridge (relief), inset (enfoncement), outset (élévation) ou inherit ; NH. La figure montre les effets. Internet Explorer, même version 8, n'obéit qu'aux effets de la colonne de gauche.
border-top, border-right, border-bottom, border-left:	regroupe pour le segment de bordure indiqué les trois valeurs dans l'ordre -width, -style et –color ; NH[1].
border-top, border-right, border-bottom, border-left:	regroupe pour le segment de bordure indiqué les trois valeurs dans l'ordre -width, -style et –color ; NH[1].
border-top-color, border-right-color, border-bottom-color, border-left-color:	couleur du segment de bordure indiqué ; couleur (rgb) ou inherit ; NH.
border-top-style, border-right-style, border-bottom-style, border-left-style:	style du segment de bordure indiqué ; valeurs comme dans le paragraphe précédent ; NH.
border-top-width, border-right-width, border-bottom-width, border-left-width:	épaisseur du segment de bordure indiqué ; valeurs comme dans le paragraphe suivant ; NH.
border-top-width, border-right-width, border-bottom-width, border-left-width:	épaisseur du segment de bordure indiqué ; valeurs comme dans le paragraphe suivant ; NH.

Propriété	Description et valeurs possibles
border-width:	de une à quatre[2] valeurs pour les épaisseurs des segments de bordure ; soit un nombre de px ou un mot clé parmi thin, medium ou thick ; NH.
color:	couleur du texte ; couleur (rgb) ou inherit ; H.
cursor:	forme du curseur ; auto, crosshair (croix), default (flèche normale), pointer (main, index tendu), progress (flèche et sablier), move (quadriflèche), e-resize (double flèche horizontale), ne-resize (double flèche sud-ouest/nord-est), nw-resize (double flèche nord-ouest/sud-est), n-resize (double flèche verticale), text (barre verticale), wait (sablier ou montre), help (flèche et ?), url(fichier) ou inherit ; H.
display:	décide de l'affichage d'un élément ; un élément invisible par display: none disparaît complètement et sa place est récupérée par d'autres éléments, alors qu'avec visibility: hidden, son emplacement reste vide ; inline (en ligne), block (en tant que bloc), list-item (comme élément de liste), none (pas affiché – sert pour supprimer un élément, à éviter avec certains médias), inherit ; NH.
font:	regroupe[1] dans l'ordre -style, -weight, -variant, -size/line-height, -family ; H.
font-family:	nom de police ou famille parmi serif, sans-serif, cursive, fantasy, monospace[3] ; H.
font-size:	taille de police ; valeur en em, ex, pt, pc, % ou mot clé parmi xx-small, x-small, small, medium, large, x-large, xx-large ; H.
font-style:	normal, italic ou oblique ; H.
font-variant:	normal ou small-caps (petites majuscules) ; H.

Propriété	Description et valeurs possibles
font-weight:	graisse (caractères gras ou pas) ; normal, bold, bolder, lighter, 100, 200,..., 800, 900 ; beaucoup de navigateurs ne distinguent que deux niveaux, 100-500 et 600-900 ; H.
letter-spacing:	espacement entre lettres (crénage) ; longueur (le plus souvent en pt) ou normal ; H.
line-height:	interligne ; normal, nombre (le plus souvent en em) ou % ; H.
padding:	de une à quatre[2] valeurs pour la distance entre un élément et sa bordure ; inherit ou nombre en px ou % ; B, NH.
padding-top, padding-right, padding-bottom, padding-left:	distance entre un élément et sa bordure dans chaque direction ; inherit ou nombre en px ou % ; défaut 0 ; B (les élements en ligne ne peuvent avoir que left et right), NH.
text-decoration:	effets de texte, notamment les soulignés ; underline (souligné), overline (surligné), line-through (barré), blink (clignotant, pas obéi et de toutes façons à proscrire), none (rien), inherit ; NH.
text-transform:	casse des caractères ; none (comme ils sont), capitalize (première lettre des mots en majuscule), lower-case (mettre en minuscules), upper-case (mettre en majuscules) ; H.
vertical-align:	alignement vertical ; baseline (en bas), sub (indice), super (exposant), top (en haut), text-top (aligné avec le haut du texte), middle (centré), bottom (en bas), text-bottom (aligné avec le bas du texte), valeur en px ou %, inherit ; B (mais est utilisé pour <img />), NH.
visibility:	visibilité d'un élément ; visible, hidden (caché – voir display), collapse ; H.

Propriété	Description et valeurs possibles
white-space:	gestion des espaces ; normal, pre (comme dans <pre>), nowrap, pre-wrap, pre-lined ; H.

[1] Lorsqu'on regroupe un certain nombre de valeurs pour les résumer en un seul paramètre, on les sépare par un espace. Par exemple :

```
border: 2px solid black;
```

[2] Pour les paramètres qui peuvent avoir quatre valeurs correspondant aux directions top, right, bottom et left (cas de border, margin et padding), si on donne :

- une valeur, elle s'applique aux quatre directions ;
- deux valeurs, la première s'applique à top et bottom, la deuxième à right et left ;
- trois valeurs, la première s'applique à top, la deuxième à left et right, la troisième à bottom ;
- quatre valeurs, la première s'applique à top, la deuxième à right, la troisième à bottom, la quatrième à left.

Les valeurs sont séparées par un espace.

[3] Pour font-family, vous pouvez fournir plusieurs valeurs séparées par des virgules. Si la première police demandée n'est pas présente chez l'internaute, son navigateur essaiera la deuxième et ainsi de suite. Donc il est conseillé d'indiquer plusieurs polices (autour de trois) et que la dernière demandée soit une famille et non une police précise.

Voici quelques effets de mise en forme de texte.

font-style	normal	*oblique*	*italic*		
font-weight	normal	**bold**	**bolder**	lighter	400
font-weight	500	**600**	**700**	**800**	**900**
font-variant	none	SMALL-CAPS			
text-transform	Capitalize	UPPERCASE	lowercase	none	
text-decoration	underline	overline	~~line-through~~	none	blink

Éléments bloc

Voici les styles qui s'appliquent exclusivement à des éléments bloc. Les notes 1 et 2 sont les mêmes que pour le tabeau précédent.

Propriété	Description et valeurs possibles
border-spacing:	espace entre bordures dans un tableau ; inherit ou un ou deux nombres en px ; NH.
border-collapse:	fusion des bordures de deux cases voisines d'un tableau ; separate (pas de fusion) ou collapse (fusion) ; NH.
bottom:	espace entre le bord inférieur d'un élément et celui de son conteneur ; inherit, auto, nombre en px ou % ; NH ; non respecté par beaucoup de navigateurs.
clear:	côté empêché de flotter ; none (pas d'empêchement), left, right, both (les deux), inherit ; NH.
clip:	portion coupée d'un élément ; très peu utilisé ; auto, rect, inherit ; NH.
float:	côté où on fait flotter un élément ; none, left, right, inherit ; NH.
height:	hauteur d'un élément ; auto, inherit, px ou % ; NH.
left:	distance entre le bord gauche d'un élément et celui de son parent ; auto, inherit, px ou % ; NH.
list-style:	regroupe[1] dans l'ordre -type ou -image et -position ; H.
list-style-image:	none ou url (fichier image des puces personnalisées) ; H.

Propriété	Description et valeurs possibles
list-style-position:	position de la puce ; inside (●xxx), outside (●...xxx) ; H.
list-style-type:	type de numérotation ou de puces ; disc (●), circle (o), square (■), decimal (1, 2), lower-roman (i, ii), upper-roman (I, II), lower-alpha (a, b), upper-alpha (A, B), none ; H.
margin:	de une à quatre[2] valeurs pour les marges ; inherit, auto, largeur en px ou % ; NH.
margin-top, margin-right, margin-bottom, margin-left:	valeurs des marges ; inherit, auto, largeur en px ou % ; NH.
max-height, max-width:	hauteur ou largeur maximale ; inherit, none, valeur en px ou % ; NH.
min-height, min-width:	hauteur ou largeur minimale ; inherit, valeur en px ou %, défaut 0 ; NH.
orphans:	nombre de lignes orphelines ; défaut 2 ; H.
overflow:	indique ce qu'il faut faire si un élément a trop de texte pour sa taille ; visible (le trop-plein sera visible), hidden (il sera invisible), scroll (des barres de défilement apparaîtront), auto, inherit ; NH.
page-break-after, page-break-before:	saut de page ; always (toujours), avoid (éviter), auto, right, left, inherit ; NH.
page-break-inside:	stipule si un élément peut être à cheval sur deux pages ; avoid, auto ; H.
position:	positionnement ; static, relative, absolute, fixed, inherit ; NH.
right:	distance entre le bord droit d'un élement et celui de son conteneur ; inherit, auto ou nombre en px ou % ; NH.

Propriété	Description et valeurs possibles
table-layout:	gestion des largeurs dans un tableau ; fixed, auto, inherit ; NH.
text-align:	alignement du texte ; left, right, center, justify, chaîne ; H.
text-indent:	indentation de la première ligne du texte ; valeur positive ou négative en em ou % ; H.
top:	distance entre le bord supérieur d'un élément et celui de son conteneur ; inherit, auto ou nombre en px ou % ; NH.
widows:	nombre de lignes veuves ; défaut 2 ; H.
width:	largeur de l'élément ; inherit, auto, largeur en px ou % ; NH. Une valeur en % s'entend par rapport à l'écran ou au conteneur selon le cas.
z-index:	placement en avant-plan ; inherit, auto ou nombre entier ; un élément passe devant un autre si son z-index est supérieur ; NH.

Les couleurs

On peut avoir à spécifier une couleur de texte, de fond ou de bordure. On peut spécifier une couleur par un nom (anglais) ou par une valeur. Au début du Web, on utilisait un groupe de six chiffres hexadécimaux comme #ff0080 qui indiquaient, de gauche à droite, l'intensité du rouge, du vert et du bleu. On n'a plus du tout à se soucier de cela maintenant ; on écrit rgb(r,v,b) où r, v et b (de 0 à 255) représentent les intensités respectives de rouge, vert et bleu. Notre exemple hexadécimal s'écrirait rgb(255,0,128) ; c'est un violet.

On peut aussi utiliser des pourcentages de 0 à 100 : rgb(100%,0,50%). Plus les nombres sont grands, plus la couleur est claire. Si les trois nombres sont égaux, entre rgb(0,0,0) (noir c'est noir !) et rgb(255,255,255) (blanc), on obtient différents gris : rgb(64,64,64) (gris foncé), rgb(128,128,128) (gris moyen), rgb(192,192,192) (gris clair). La couleur complémentaire de rgb(r,v,b) est rgb(255-r,255-v,255-b).

Une seule composante non nulle donne une couleur franche (par exemple rgb(0,0,255) donne un bleu lumineux). Le mélange égal de deux composantes non nulles donne la couleur complémentaire de la composante nulle (par exemple rgb(255,255,0) donne le jaune, complémentaire du bleu). Une valeur élevée pour une composante crée une teinte où elle domine, mais d'autant moins saturée que les autres composantes sont plus fortes : rgb(255,192,192) donne un rose « nurserie ».

Le tableau suivant donne les seize noms anglais connus de tous les navigateurs. Ils en connaissent beaucoup d'autres, notamment orange, mais pour des teintes élaborées, il est plus simple d'avoir recours à rgb. On a joint les valeurs hexadécimales ; les valeurs dites courtes simplifient le cas où chaque composante a deux fois le même chiffre.

Lorsqu'il y a deux noms dans une case, ils sont synonymes. Attention à l'orthographe de *gray* (avec un a, c'est l'orthographe américaine) et de *maroon* (un seul r).

Pour du texte sur une couleur de fond, pensez à assurer un contraste suffisant entre les deux : préconisez une écriture sombre sur fond clair ou une écriture claire sur fond sombre.

Coup de main

Si vous hésitez sur la combinaison rgb() à utiliser, notez que dans les boîtes de dialogue de choix de couleurs de NVU, lorsque vous pointez sur une couleur, les valeurs de rgb correspondantes apparaissent.

La figure suivante vous montre les couleurs dites « sûres » où les valeurs de chaque composante sont équidistantes : 0, 51, 102, 153, 204 et 255.

Nom	rgb(, ,)	hexa (court)	Couleur produite
black	0,0,0	#000000 (#000)	noir
white	255,255,255	#FFFFFF (#FFF)	blanc
gray	128,128,128	#808080	gris
silver	192,192,192	#C0C0C0	argent (gris très clair)
blue	0,0,255	#0000FF (#00F)	bleu
navy	0,0,128	#000080	bleu marine
cyan **aqua**	0,255,255	#00FFFF (#0FF)	cyan (turquoise)
teal	0,128,128	#008080	bleu pétrole (cyan foncé)
green	0,128,0	#008000	vert
olive	128,128,0	#808000	vert olive
lime	0,255,0	#00FF00 (#0F0)	citron vert (vert très lumineux)
fuchsia **magenta**	255,0,255	#FF00FF (#F0F)	fuchsia (lilas)
purple	128,0,128	#800080	violet
red	255,0,0	#FF0000 (#F00)	rouge
maroon	128,0,0	#800000	marron
yellow	255,255,0	#FFFF00 (#FF0)	jaune

Palette de couleurs

0 0 0	0 0 51	0 0 102	0 0 153	0 0 204	0 0 255
0 51 0	0 51 51	0 51 102	0 51 153	0 51 204	0 51 255
0 102 0	0 102 51	0 102 102	0 102 153	0 102 204	0 102 255
0 153 0	0 153 51	0 153 102	0 153 153	0 153 204	0 153 255
0 204 0	0 204 51	0 204 102	0 204 153	0 204 204	0 204 255
0 255 0	0 255 51	0 255 102	0 255 153	0 255 204	0 255 255
51 0 0	51 0 51	51 0 102	51 0 153	51 0 204	51 0 255
51 51 0	51 51 51	51 51 102	51 51 153	51 51 204	51 51 255
51 102 0	51 102 51	51 102 102	51 102 153	51 102 204	51 102 255
51 153 0	51 153 51	51 153 102	51 153 153	51 153 204	51 153 255
51 204 0	51 204 51	51 204 102	51 204 153	51 204 204	51 204 255
51 255 0	51 255 51	51 255 102	51 255 153	51 255 204	51 255 255
102 0 0	102 0 51	102 0 102	102 0 153	102 0 204	102 0 255
102 51 0	102 51 51	102 51 102	102 51 153	102 51 204	102 51 255
102 102 0	102 102 51	102 102 102	102 102 153	102 102 204	102 102 255
102 153 0	102 153 51	102 153 102	102 153 153	102 153 204	102 153 255
102 204 0	102 204 51	102 204 102	102 204 153	102 204 204	102 204 255
102 255 0	102 255 51	102 255 102	102 255 153	102 255 204	102 255 255
153 0 0	153 0 51	153 0 102	153 0 153	153 0 204	153 0 255
153 51 0	153 51 51	153 51 102	153 51 153	153 51 204	153 51 255
153 102 0	153 102 51	153 102 102	153 102 153	153 102 204	153 102 255
153 153 0	153 153 51	153 153 102	153 153 153	153 153 204	153 153 255
153 204 0	153 204 51	153 204 102	153 204 153	153 204 204	153 204 255
153 255 0	153 255 51	153 255 102	153 255 153	153 255 204	153 255 255
204 0 0	204 0 51	204 0 102	204 0 153	204 0 204	204 0 255
204 51 0	204 51 51	204 51 102	204 51 153	204 51 204	204 51 255
204 102 0	204 102 51	204 102 102	204 102 153	204 102 204	204 102 255
204 153 0	204 153 51	204 153 102	204 153 153	204 153 204	204 153 255
204 204 0	204 204 51	204 204 102	204 204 153	204 204 204	204 204 255
204 255 0	204 255 51	204 255 102	204 255 153	204 255 204	204 255 255
255 0 0	255 0 51	255 0 102	255 0 153	255 0 204	255 0 255
255 51 0	255 51 51	255 51 102	255 51 153	255 51 204	255 51 255
255 102 0	255 102 51	255 102 102	255 102 153	255 102 204	255 102 255
255 153 0	255 153 51	255 153 102	255 153 153	255 153 204	255 153 255
255 204 0	255 204 51	255 204 102	255 204 153	255 204 204	255 204 255
255 255 0	255 255 51	255 255 102	255 255 153	255 255 204	255 255 255

Mettez en forme le site des polyèdres

Commencez par faire une copie du dossier *sitepolyedres2* sous le nom sitepolyèdres3.

Ensuite, dans l'en-tête de chacune des pages (juste avant </head>), insérez :

```
<link rel="stylesheet" type="text/css" href="styl1.css" />
```

Pages cube.htm, *etc.*

Pour chaque page de détails sur les polyèdres, encadrez le groupe des balises <h1>, <h2>, <h2> et <img /> de <div class="centr">…</div>.

Page index.htm

La balise <h1> du gros titre devient <h1 class="centr">.

La balise <img /> qui installe le dessin du dodécaèdre rhomboïdal devient <img src="dodrh.jpg" id="dodrh" />.

Page demo.htm

La balise <h1> du gros titre devient <h1 class="centr">.

La balise <table> perd son paramètre border : elle devient <table> tout court.

Les balises <img /> qui servent de lien dans le tableau perdent leur paramètre de style largeur : cela sera fait dans la feuille de styles que vous allez créer dans la section suivante.

La feuille de styles *styl1.css*

Préparez le fichier suivant, toujours avec notepad2 ou le logiciel que vous utilisez : c'est un fichier texte. Les numéros de lignes servent de repérage pour les explications qui suivent, donc ne les tapez pas.

```
body {font-family: Arial;}                                   1
strong {color: red;}                                         2
```

```
.centr {text-align: center;}                                    3
table {text-align: center; border: solid 1px;}                  4
table img {width: 50px;border-style: none;}                     5
td, th {border: solid 1px; width: 20%;}                         6
#dodrh {width: 84px;}                                           7
```

1. On impose la police à la balise <body>. Donc tout le texte sera en Arial.
2. Le contenu de toutes les balises strong sera en rouge. On garde l'affichage en gras qui est l'effet par défaut, mais on aurait pu le changer.
3. Tout élément qui a la classe *centr* sera centré. C'est le cas de certaines balises <h1> et de la div du début dans les pages détails.
4. Tout texte dans un tableau sera centré et le tableau aura une bordure externe. En fait, cela ne concerne que le tableau de la page *demo.htm*.
5. Les images du tableau auront pour largeur 50 pixels et elles ne seront pas dotées de la bordure qu'elles auraient par défaut puisqu'elles servent de lien.
6. Les cellules du tableau auront une bordure interne et elles auront toutes la même largeur : 20 % de la largeur totale du tableau puisqu'il y a cinq colonnes.
7. L'image du dodécaèdre rhomboïdal de la page d'accueil est désignée par son identifiant id="dodrh" et on réduit sa largeur à 84px.

Coup de loupe

Avec ces dispositions de styles, vous pouvez vérifier que vous avez exactement le même rendu que les pages que nous avions construites avec NVU. Mais vous pouvez voir aussi que nos écritures sont beaucoup plus simples que ce que NVU avait produit ; en particulier, il n'y a aucune répétition.

Autre point remarquable : notre texte XHTML est totalement dépourvu de spécification de mise en forme (à part les balises <link />, il faut bien désigner la feuille de styles) ; toute la mise en forme est regroupée dans le fichier externe *styl1.css*. Celui-ci est fourni une seule fois, pour toutes les pages : c'est l'avantage d'utiliser un fichier externe.

Chapitre 6

Construisez votre site associatif

Dans ce chapitre

- ✓ Le menu de navigation
- ✓ Créez une image forte
- ✓ Les pages principales

Le menu de navigation

Il est temps de recenser les pages principales que nous voulons dans notre site de l'AAC10, Association des Amis des Chats du 10e. Les voici sous la forme d'une liste qui constituera le menu de navigation. Entre parenthèses, nous donnons le nom du ou des fichiers pages.

- ✓ Accueil (index.htm)
- ✓ Actualité (actu.htm)
- ✓ Vos meilleures photos (photos.htm)
- ✓ Choisir un chat (choix.htm)
- ✓ Nourrir son chat (nourr.htm)
- ✓ Vivre avec son chat (vivre.htm)
- ✓ Des livres et des films (livres.htm)
- ✓ Calendrier des activités (calend.htm)
- ✓ Devenir membre de l'AAC10 (adh.htm+adh.js+tradh.php)
- ✓ (Réservé aux membres) Vie de l'association (vie.htm+trvie.php)
- ✓ (Réservé aux membres) Forum (forum.htm+trforum.php)
- ✓ Nous joindre (joindre.htm)

Coup de loupe

photos.htm se présente sous la forme d'un tableau d'imagettes, chacune étant un lien vers la photo en grand.

adh.htm offre un formulaire d'adhésion dont *tradh.php* effectue le traitement sur le serveur et *adh.js* fait un prétraitement local.

vie.htm offre un formulaire où l'internaute fournit son nom et son mot de passe ; *trvie.php* vérifie le mot de passe et, s'il est correct, affiche les informations réservées.

forum.htm offre un formulaire, *trforum.php* ajoute la contribution du visiteur.

Créez une image forte

Il est fondamental de doter votre site d'une « personnalité » reconnaissable, d'une « âme » identifiable au premier coup d'œil. Pour cela, il est important que toutes les pages aient une présentation et même une structure communes ; c'est cette présentation et cette structure qui vont déterminer l'image de marque de votre site.

Pour l'association, nous proposons la structure suivante pour chaque page. La figure représente approximativement les proportions en surface des différentes parties.

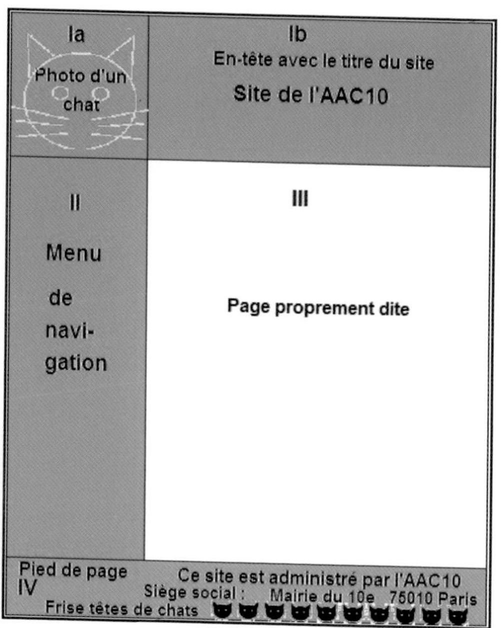

I : En-tête de la page, partagée en une photo et la zone du titre du site.

II : Le menu de navigation ; ainsi, il sera toujours visible.

III : La page proprement dite. Veillez à ce que les autres zones ne soient pas trop grandes afin de laisser assez de place à cette partie, qui est, somme toute, la raison d'être de la page.

IV : Pied de page, idéal pour des informations administratives. Nous l'avons agrémenté d'une frise.

Chacune de ces zones sera définie par une balise <div> : <div id="photo">, div id="titre">, <div id="page">, <div id="menu">, <div id="pied">, ce qui permettra de faire porter les spécifications de mise en forme spéciales sur la zone concernée, en particulier les instructions de dimensionnement et de positionnement.

La figure suggère une couleur de fond pour créer un effet d'encadrement pour les zones auxiliaires. Vous pouvez aussi introduire des images pour créer un effet de rideau, plus artistique que des cadres rectangulaires, mais c'est plus difficile car vous devez créer les fichiers images.

Coup de loupe

Il va sans dire que le site que nous décrivons ici est **fictif** et uniquement à titre d'exemple. Il n'y a pas d'association AAC10 domiciliée à la mairie du 10e, mais notre but est que, si vous vous occupez d'une association réelle, vous vous en inspiriez pour la doter d'un site effectif.

Les pages principales

Commencez par créer un dossier *aac10* qui contiendra tous vos fichiers. N'oubliez pas de mettre notepad2 ou son équivalent en code UTF-8.

La page index.htm

La partie page proprement dite ne contient que du texte très simple. Les parties cadres se retrouveront dans toutes les autres pages.

Début de la page

```
<!DOCTYPE html PUBLIC "-//W3C//DTD XHTML 1.0 Strict//EN"
 "http://www.w3.org/TR/xhtml1/DTD/xhtml1-strict.dtd">
<html xmlns="http://www.w3.org/1999/xhtml">
<head>
  <meta content="text/html; charset=UTF-8"
  http- equiv="content-type" />
  <title>AAC10</title>
  <link rel="stylesheet" type="text/css"
  href="feuilsty.css" />
</head>
```

```
<body>
<div id="photo"><img src="minou.jpg" /></div>
<div id="titre"><h1>Site de l'AAC10</h1>
<h2>Association des Amis des Chats du 10e</h2></div>
<div id="page">
L'Association des Amis des Chats du 10e accueille<br />
tous ceux qui aiment les chats dans le 10e arrondissement.<br />
Elle est votre association. Adhérez.
</div>
```

On reconnaît la balise <link /> qui se réfère à la feuille de styles. Vous avez en téléchargement les fichiers images à utiliser, *minou.jpg* pour la photo et *frisechatspt.gif* pour la frise. On a, sous Irfanview, créé le fichier .gif à partir du fichier .jpg pour que le fond de l'image soit transparent.

La division menu

```
<div id="menu">
<ul>
<li><a href="index.htm">Accueil</a></li>
<li><a href="actu.htm">Actualité</a></li>
<li><a href="photos.htm">Vos meilleures photos</a></li>
<li><a href="choix.htm">Choisir un chat</a></li>
<li><a href="nourr.htm">Nourrir son chat</a></li>
<li><a href="vivre.htm">Vivre avec son chat</a></li>
<li><a href="livres.htm">Des livres et des films</a></li>
<li><a href="calend.htm">Calendrier des activités</a></li>
<li><a href="adh.htm">Devenir membre de l'AAC10</a></li>
<li><a href="vie.htm">Vie de l'association</a></li>
<li><a href="forum.htm">Forum</a></li>
<li><a href="joindre.htm">Nous joindre</a></li>
</ul>
</div>
```

Pied de page et fin du fichier

```
<div id="pied">
Site administré par l'AAC10<br />
Siège social : Mairie du 10e 75010 Paris<br/>
<img src="frisechatspt.gif" />
</div>
```

```
</body>
</html>
```

Coup de loupe

La figure ci-dessus montre le rendu obtenu alors que le fichier .css n'est pas présent ; il est inesthétique, mais le visiteur a toutes les informations.

La feuille de styles

```
body {font-family: arial, helvetica, sans-serif;}
#photo {width: 20%; position: absolute; top: 0; left: 0;
background-color: aqua; height: 20%;}
#photo img {height: 100%; margin-left: 20%;}
#titre {width: 80%; position: absolute; top: 0; left: 20%;
background-color: aqua; height: 20%; overflow: hidden;}
#menu {width: 20%; position: absolute; top: 20%; left: 0; height:
70%; background-color: aqua;}
#page {width: 80%; position: absolute; top: 20%; left: 20%;
height: 70%; overflow: scroll;}
```

```
#pied {width: 100%; position: absolute; top: 90%; left: 0;
background-color: aqua; height: 10%;
overflow: hidden; font-size: 70%;}
#titre, #pied {text-align: center;}
```

Coup de main

On voit que tous les positionnements sont définis en pourcentages (des dimensions de la fenêtre), donc les zones varieront proportionnellement à la fenêtre. Si une zone devient trop petite pour les informations, le titre et le pied seront cachés en partie (overflow : hidden) tandis que la page proprement dite aura des barres de défilement (overflow : scroll). Si le menu était plus long, il faudrait employer le même paramètre (ou auto) pour la div menu.

Pour la police, si Arial n'est pas présente, on essaie Helvetica, sinon une police générique sans empattements. Pour la couleur de fond des zones de cadre, au lieu de aqua, vous pourriez spécifier rgb(…), mais vous auriez éventuellement à changer la couleur de texte pour le menu afin qu'il reste visible. La taille est diminuée pour le pied de page (font-size : 70%).

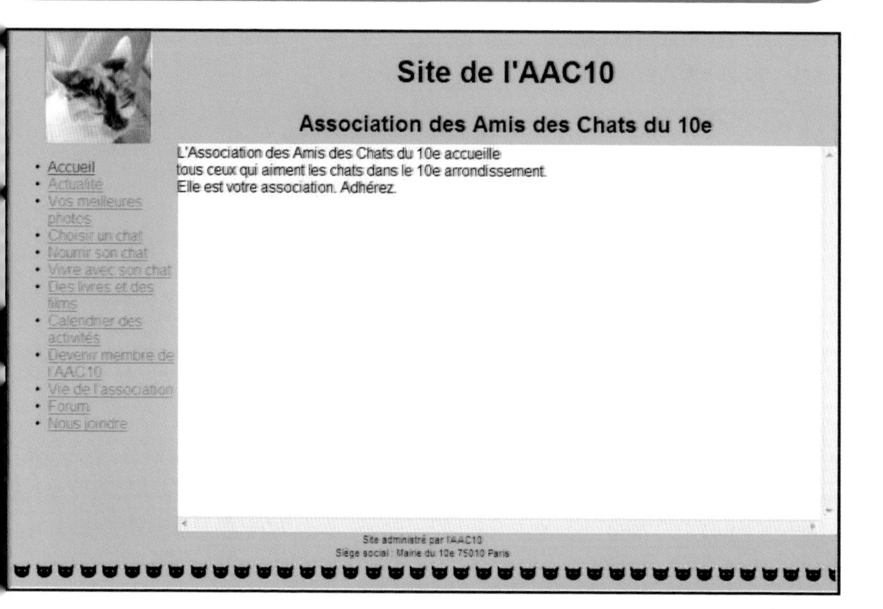

Exercice

Souvent, dans une liste qui forme un menu, on désire supprimer les puces.

Solution. Ajoutez la directive qui ne s'appliquera qu'aux <li> du menu :

```
#menu li {list-style-type: none;}
```

On a le fichier *ch.gif* qui représente une tête de chat miniature. On veut des puces en forme de tête de chat.

Solution :

```
#menu li {list-style-image: url(ch.gif);}
```

Autres pages standard

Seule la division page est spécifique ; les autres divisions doivent être recopiées dans toutes les pages, nous verrons comment PHP nous permettra de l'éviter. Dans la suite, nous ne citons que la div page et nous nous bornons à un squelette qu'il faudrait compléter pour un site réel. Pour créer ces pages, vous devez partir de *index.htm,* sauvegarder sous le nouveau nom et modifier la div page.

Coup de loupe

Avant de créer les pages, vous devez faire une modification qui aura de l'intérêt dans la suite : échangez les div pied et page de sorte que la div page soit en dernier ; cela ne change rien à l'effet produit puisque vous avez des règles de styles qui imposent le positionnement. Chaque fichier page est en deux parties : le début, identique pour tous, et la fin, spécifique (à part </body> et </html>).

Actualité (actu.htm)

```
<div id="page">
<h3>Actualité</h3>
<p>1/4/2009 - Notre président, M. Félix Leminou, vient de
recevoir la Légion d'honneur.</p>
```

```
<p>7/3/2009 - M. Pat Hibulaire remplace Mlle Cathie Mini au poste
de secrétaire général de l'AAC10</p>
</div>
```

Choisir un chat (choix.htm)

```
<div id="page">
<h3>Choisir un chat</h3>
<p>Choisir son futur compagnon réclame beaucoup de réflexion. Nous
donnons ci-dessous les caractéristiques
des principales races.</p>
<p>Mais un simple "chat de gouttière" peut vous donner beaucoup
d'amour.</p>
</div>
```

Nourrir son chat (nourr.htm)

```
<div id="page">
<h3>Nourrir son chat</h3>
<p>La nourriture est un sujet délicat ; beaucoup de chats sont
très difficiles.</p>
<p>Le dilemme boulettes ou croquettes divise les spécialistes.</
p>
<p>Notre conseil : la variété ; changez souvent de genre et de
marque.</p>
</div>
```

Vivre avec son chat (vivre.htm)

```
<div id="page">
<h3>Vivre avec son chat</h3>
<p>Le comportement du maître est très important. Il faut à la
fois gentillesse et fermeté.</p>
<p>On sait qu'on ne peut pas dresser un chat, mais il faut lui
faire comprendre ce qui est interdit.</p>
<p>En cas de bêtise, il faut tout de suite lui montrer que c'est
mal.</p>
</div>
```

Des livres et des films (livres.htm)

```
<div id="page">
<h3>Des livres et des films</h3>
<h4>Livres</h4>
<p>Tout le monde connaît "Une vie de chat" d'Yves Navarre.</p>
<h4>Films</h4>
<p>Nous recommandons "Chatran" pour les enfants.</p>
<p>Et "Catwoman" pour les moins jeunes.</p>
</div>
```

Calendrier des activités (calend.htm)

```
<div id="page">
<h3>Calendrier de nos activités</h3>
<p>23/12/2009 18h Le Noël des Amis des Chats, en Mairie.</p>
<p>Tout le mois de janvier sera consacré à la préparation de
l'exposition féline.</p>
<p>10 au 15/02/2010 : Exposition Féline en Mairie.</p>
</div>
```

Nous joindre (joindre.htm)

```
<div id="page">
<h3>Pour nous joindre</h3>
<p>Nous écrire à AAC10 Mairie du 10e 75010 Paris.</p>
<p>Ou envoyer un email au secrétaire général Pat Hibulaire.</p>
<p>Adresse : phibul5@gmail.com.</p>
</div>
```

Coup de loupe

Rappel : n'écrivez pas et n'envoyez pas de mail aux adresses ci-dessus : elles sont fictives !

Pages spéciales

Vos meilleures photos (photos.htm)

Après la phrase d'invite pour que les membres envoient leurs photos, la page est constituée d'un tableau d'imagettes, liens vers l'image en grandeur réelle. Le lien utilise le paramètre target="_blank" pour que l'image s'ouvre dans une nouvelle fenêtre.

Nous prévoyons cinq imagettes par ligne. Le fichier que vous avez en téléchargement vous donne l'armature des <tr> et <td>, avec des cellules laissées vides, ce qui est inesthétique : à vous de les remplir pour un vrai site.

Nous fournissons quatre images imgxxx.jpg avec les imagettes correspondantes minxxx.jpg (fichiers distincts). Les balises <img /> doivent avoir les paramètres title et alt pour que les informations apparaissent sur la photo dans une info-bulle.

La mise en forme spéciale pour cette page est dans une balise <style>. Sa dernière spécification supprime le cadre bleu des images-liens.

```
<div id="page">
<style>
table {border: solid 1px; width: 90%;}
td {width: 20%; border: solid 1px;}
td img {border-style: none;}
</style>
<h3>Vos meilleures photos</h3>
<h4>N'hésitez pas à nous envoyer vos photos les plus réussies.</
h4>
<table>
<tr>
<td><a href="img_0001.jpg" target=_blank>
<img src="min_0001.jpg" alt="Minoute-envoi de M. David"
title="Minoute-envoi de M. David"   /></a></td>
<td><a href="img_0002.jpg" target=_blank>
<img src="min_0002.jpg" alt="Minoute-envoi de M. David"
title="Minoute-envoi de M. David" /></a></td>
<td><a href="img_0003.jpg" target=_blank>
<img src="min_0003.jpg" alt="Minoute-envoi de M. David"
title="Minoute-envoi de M. David" /></a></td>
<td><a href="img_0004.jpg" target=_blank>
<img src="min_0004.jpg" alt="Minoute-envoi de M. David"
title="Minoute-envoi de M. David" /></a></td>
<td><a href="" target=_blank><img src="" alt="" title="" /></a>
</td>
```

```
</tr>
<tr>
<td><a href="" target=_blank><img src="" alt="" title="" /></a></
td>
<td><a href="" target=_blank><img src="" alt="" title="" /></a></
td>
<td><a href="" target=_blank><img src="" alt="" title=""
 /></a></td>
<td><a href="" target=_blank><img src="" alt="" title="" /></a></
td>
<td><a href="" target=_blank><img src="" alt="" title="" /></a></
td>
</tr>
</table>
</div>
```

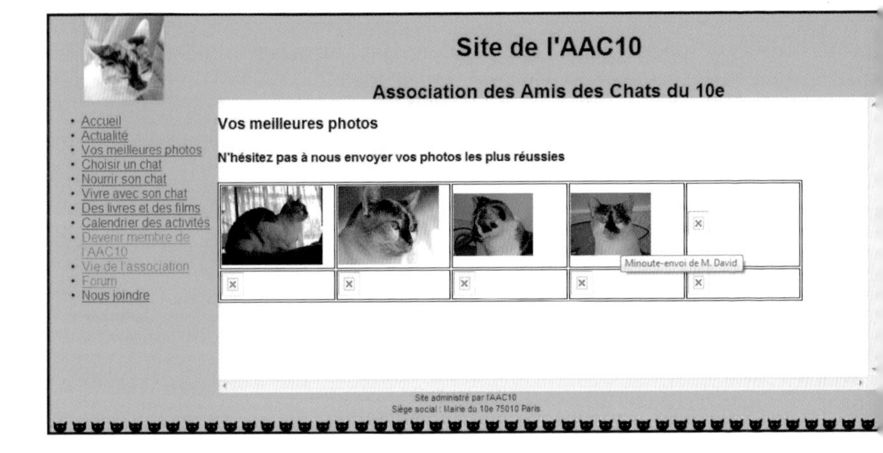

Devenir membre (adh.htm)

L'essentiel de la page est constitué par le formulaire permettant au futur membre de donner les informations qui le concernent.

Devenez membre de l'AAC10 (* = rubrique obligatoire)

M., Mme ou Mlle * M.

Votre nom et prénom *

Votre adresse *

CP Ville *

Votre téléphone

Votre adresse email

Choisissez un mot de passe *

Envoyer

```
<div id="page">
<style>
label {width: 250px; text-align: right;
       float: left; margin-right: 10px;}
#adr {width: 400px;}
#ok {margin-left: 260px; font-weight: bold}
</style>
<script type="text/javascript" src="adh.js"></script>
<h3>Devenez membre de l'AAC10 <span style="font-weight: normal">
(* = rubrique obligatoire)</span></h3>
<form name="FF" id="FF" method="post" action="tradh.php"
 onsubmit="return preadh()">
<p><label for="civ">M., Mme ou Mlle *</label>
<select name="civ" id="civ">
<option value="M.">M.</option><option value="Mme">Mme</option>
<option value="Mlle">Mlle</option></select></p>
<p><label for="npr">Votre nom et prénom *</label>
<input type="text" name="npr" id="npr" /></p>
<p><label for="adr">Votre adresse *</label>
<input type="text" name="adr" id="adr" /></p>
<p><label for="cpv">CP Ville *</label>
<input type="text" name="cpv" id="cpv" /></p>
<p><label for="tph">Votre téléphone</label>
<input type="text" name="tph" id="tph" /></p>
<p><label for="eml">Votre adresse email</label>
<input type="text" name="eml" id="eml" /></p>
<p><label for="mp">Choisissez un mot de passe *</label>
<input type="text" name="mp" id="mp" /></p>
<p><input id="ok" type="submit" value="Envoyer" ></p>
</form>
</div>
```

Les composantes du formulaire sont classiques ; chacune est dans un paragraphe avec son label. Au clic sur **Envoyer**, la routine JavaScript preadh() qui est dans le fichier externe *adh.js* vérifiera que les rubriques obligatoires sont bien remplies. Si c'est le cas, le formulaire sera envoyé et traité sur le serveur par le programme *tradh.php*. Nous verrons ces deux programmes dans les chapitres 7 et 8.

Notez le <span> dans le titre <h3> pour que « * = … » ne soit pas en gras.

Style associé

La balise <style> règle la présentation du formulaire. Le plus important concerne la balise <label> ; la largeur assure l'alignement des zones d'entrée de texte ; le text-align rapproche les désignations de leur contenu, le margin-right évitant qu'elles soient collées. Le float assure que le label soit à côté de sa zone ; sinon, il serait au-dessus, ce qui est aussi acceptable.

La zone adresse a une largeur plus grande que les autres. Le margin du bouton l'aligne avec les zones d'entrée texte.

Coup de main

La disposition float assure que le bloc concerné sera traité à part et calé soit à droite, soit à gauche en haut de son conteneur, les autres éléments du conteneur venant l'habiller.

À partir de *nourr.htm*, créez une page *nourrpub.htm* dans laquelle vous insérez, juste après <div id= "page"> :

```
<div id="pub" style="float: right; width: 20%;
 background-color: rgb(255,200,200); border: solid 2px;">
Votre chat adorera les croquettes Croc-Croc.</div>
```

Association des Amis des Chats du 10e

Votre chat adorera les croquettes Croc-Croc.

Nourrir son chat

La nourriture est un sujet délicat ; beaucoup de chats sont très difficiles.

Le dilemme boulettes ou croquettes divise les spécialistes.

Notre conseil : la variété ; changez souvent de genre et de marque.

Notez au passage la couleur spécifiée par rgb : du rouge mélangé avec presque autant des autres couleurs, ce qui donne du rose. Essayez float: left pour voir l'habillage du texte. Il n'y a pas lieu ici de discuter le principe d'accepter de la publicité sur le site de l'association…

Vie de l'association (vie.htm)

Le fichier *vie.htm* offre un formulaire beaucoup plus simple que le précédent : le visiteur fournit son nom-prénom et son mot de passe. Le programme de traitement *trvie.php* (voir chapitre 8) vérifie et, si le mot de passe est bon, affiche les informations. Il n'y a pas de balise <script> puisqu'il n'y a pas de prétraitement.

```
<div id="page">
<style>
label {width: 150px; text-align: right;
       float: left; margin-right: 10px;}
#ok {margin-left: 160px; font-weight: bold}
</style>
<h3>Vie de l'association <span style="font-weight: normal">
(Réservé aux membres)</span></h3>
<form name="FF" id="FF" method="post" action="vie.php">
<p><label for="npr">Votre nom et prénom</label>
<input type="text" name="npr" id="npr" /></p>
<p><label for="mp">Votre mot de passe</label>
<input type="password" name="mp" id="mp" /></p>
<p><input id="ok" type="submit" value="Valider" ></p>
</form>
</div>
```

Le forum (forum.htm)

Le fichier contient la liste des paragraphes de contributions (de la plus récente à la plus ancienne) puis un formulaire où le visiteur entre sa question ou son commentaire. Le programme de traitement *trforum.php* (voir chapitre 8) insère la contribution à sa place dans *forum.htm*.

```
<div id="page">
<style>
label {width: 150px; text-align: right;
       float: left; margin-right: 10px;}
#ok {margin-left: 160px; font-weight: bold}
</style>
<h3>Forum</h3>
<p>17/12/2009-Lescaut Julie<br />
Réponse à Florent Isabelle : Oui. Le mien les aime beaucoup.</p>
<p>15/12/2009-Florent Isabelle<br />
Puis-je donner des boulettes Sblotch à mon chaton ?</p>
<hr />
```

```
<form name="FF" id="FF" method="post" action="trforum.php">
<p><label for="npr">Votre nom et prénom</label>
<input type="text" name="npr" id="npr" /></p>
<p><textarea id="cc" name="cc" rows="5" cols="70">
Entrez votre question ou votre contribution ici
</textarea></p>
<p><input id="ok" type="submit" value="OK" ></p>
</form>
</div>
```

Voici un état possible de la page avec deux contributions.

Forum

15/12/2009-Lescaut Julie
Réponse à Florent Isabelle : Oui. Le mien les aime beaucoup.

15/12/2009-Florent Isabelle
Puis-je donner des boulettes Sblotch à mon chaton ?

Votre nom et prénom

Entrez votre question ou votre contribution ici

OK

Coup de loupe

Bien sûr, à la longue, le webmaster devra éliminer les contributions les plus anciennes, par exemple tous les trimestres. D'autre part, il devra éliminer les textes illégaux, injurieux ou autres ; d'ailleurs, vous pouvez insérer dans la page un texte qui avertit que vous vous réservez ce droit.

Observez bien la structure des paragraphes : la date et le nom-prénom, on va à la ligne, puis la contribution. Le programme de traitement devra s'y conformer.

Exercice

Vous avez en téléchargement les fichiers *texturebleue.jpg* et *chatreduit.gif*. Imposez les comme image de fond respectivement à page et à titre.

Renommez *feuilsty.css* en *feuilsty1.css*. Créez *feuilsty2.css* avec en plus :

```
#page {background: url(texturebleue.jpg) repeat fixed;}
#titre {background-image: url(chatreduit.gif);
background-repeat: repeat-x;}
```

Vous pourriez aussi supprimer le background-color au-dessus et écrire :

```
#titre {background: aqua url(chatreduit.gif)  repeat-x;}
```

Pour l'essayer, renommez la version 1 ou 2 voulue en *feuilsty.css*.

Nous avons tiré quelques chèques en blanc à propos de la programmation. Il va falloir nous y mettre : accrochez-vous !

Chapitre 7

Dynamisez votre site avec JavaScript

Dans ce chapitre

- ✓ Éléments du langage
- ✓ Règles d'écriture et manipulation des données
- ✓ Structuration des programmes
- ✓ Événements
- ✓ Animez votre page
- ✓ Validez un formulaire

Éléments du langage

JavaScript est le langage universellement utilisé pour attacher à une page Web un programme à exécuter en local chez l'internaute. Il est la source de ce qu'on appelle le HTML dynamique, permettant des effets visuels : apparition d'éléments ou modifications d'images selon le survol de la souris. Il donne de l'interactivité à vos pages, permettant notamment de choisir entre différents styles. Son application la plus utile consiste à vérifier les réponses à un formulaire afin d'éviter l'envoi au serveur d'informations qui seront de toutes façons rejetées.

Règles d'écriture et manipulation des données

Emplacement des instructions

Un ensemble d'instructions (appelé *programme* ou *script*) peut se trouver en quatre endroits :

- Il peut être contenu dans la balise <script>...</script> ; il peut y avoir plusieurs couples, mais on considère qu'ils forment plusieurs morceaux d'un même ensemble.
- Il peut constituer la définition de la réponse à un événement lié à une balise, par exemple, <body onload="instructions">.
- Le lien <a href="javascript:instructions">Cliquez ici</a> fait appel au pseudo-protocole javascript : un clic sur le lien fait exécuter les instructions.
- Une balise <script> peut être vide. Dans ce cas, elle fait appel à un fichier externe d'extension .js qui contient des instructions JavaScript, par exemple,
- <script src="monscript.js"></script>. Tout se passe comme si le contenu du fichier était entre <script> et </script>.

La dernière manière est celle qui réalise le mieux la séparation entre les programmes et les pages Web. De plus, un même fichier peut être utilisé par différentes pages, formant ainsi une bibliothèque de routines standard. Les balises <script> peuvent être dans <head> ou dans <body>.

L'attribut type

Il faut que <script> ait l'attribut type, avec toujours la même valeur "text/javascript", que la balise ait un contenu ou qu'elle appelle un fichier extérieur.

```
<script type="text/javascript" src="monscript.js">.
```

En outre, il faut dans l'en-tête une balise <meta /> qui spécifiera le type par défaut pour les événements et les liens :

```
<meta http-equiv="Content-Script-Type" content="text/
javascript" />
```

Déclenchement de l'exécution

Les instructions JavaScript se répartissent en exécutables et non exécutables (par exemple, des déclarations de variables ou de fonctions). Les instructions sont prises en compte par ordre de lecture par le navigateur ; les instructions exécutables sont exécutées à mesure de leur lecture ; les non exécutables sont simplement mémorisées pour influencer l'action des exécutables.

La définition d'une fonction comprend des instructions exécutables, mais lors de la lecture de la fonction, tout le bloc de la fonction est considéré comme non exécutable et la fonction est simplement mémorisée. L'exécution de la fonction sera déclenchée par l'exécution d'une instruction d'appel qui consiste simplement à citer son nom.

Il faut que la définition de la fonction ait été lue avant l'appel ; c'est pourquoi on met souvent les définitions des fonctions dans l'en-tête <head>.

Une manière de déclencher l'exécution d'instructions consiste à placer ces dernières dans un événement = "...." d'une balise. Ces instructions se réduisent généralement à l'appel d'une fonction : <body onload="f()"> ; f pourra être définie dans <head> ou, encore plus judicieux, le <script src=...> de l'en-tête se référera à un fichier .js externe.

Règles d'écriture

Une instruction par ligne

C'est la règle générale. Théoriquement, comme en C et en PHP, toute instruction devrait être terminée par un « ; », mais c'est facultatif en JavaScript. Il n'y a que quelques configurations où le « ; » est nécessaire, mais nous les rencontrerons peu dans ce livre. La règle a les exceptions habituelles :

- Lorsqu'une ligne comprend plusieurs instructions, le « ; » est obligatoire sauf pour la dernière de la ligne puisqu'il sert de séparateur : x=3*y ; z=6 ; alert('Terminé'). Ce cas se présente souvent dans une réponse à un événement : .onload="f(a); alert(z)"...

✓ Une instruction peut se prolonger sur la ligne suivante. On ne peut pas couper une chaîne de caractères entre ' ou ", on procède par concaténation

```
alert('Les bavards font de longs' +
'discours')
```

Les espaces

Les espaces sont libres en JavaScript en ce sens que là où il peut ou doit y en avoi un, vous pouvez en mettre plusieurs. Il ne doit pas y en avoir à l'intérieur d'un mo clé et d'un nom de variable ou de fonction.

Les opérateurs sont entourés d'espaces facultatifs : z = x * y est préférable, mai z=x*y est accepté. Un nom de fonction doit être séparé du mot clé function ; le espaces devant « (» et après les « , » sont facultatifs. Ainsi :

```
function f (x, y) {   ou  function f(x,y){.
```

Majuscules et minuscules

JavaScript est un langage « C-like », c'est-à-dire inspiré par le langage C. À ce titr il distingue les majuscules et les minuscules. MaPage et mapage sont les nom de deux variables distinctes. Il serait très maladroit de les faire coexister inten tionnellement dans un même programme et, si ce n'est pas intentionnel, alors l fonctionnement sera erroné.

Les mots clés (if, for…) sont tous en minuscules. Il faut respecter l'orthographe de méthodes et des objets prédéfinis. Pour les noms composés, il y a une majuscul à la première lettre à partir du deuxième mot. Par exemple, navigator.appName Les objets Array, Date, Math, Number, Object, Option et Function prennent un majuscule, alors que le mot clé de la déclaration function a un f minuscule.

Commentaires

Les commentaires sont des textes qui sont sans effet sur le fonctionnement d programme ; ils servent à expliquer celui-ci. Un commentaire sur plusieurs ligne s'écrit entre /* et */ :

Un commentaire en fin d'instruction s'écrit après // :

```
prix*=0.9 // On fait une remise de 10 %
```

l peut occuper toute une ligne ; s'il en occupe plusieurs, chacune doit commencer par //.

Ligne vide

On peut aérer le programme en laissant des lignes vides. Il est conseillé de les commencer par // pour montrer que c'est intentionnel. Une ligne peut aussi ne contenir qu'un « ; ». Cela forme une instruction vide qui peut servir à créer une branche d'alternative vide.

Manipulation des données

Tout programme ne fait que manipuler des données. Pour manipuler une donnée, il faut la désigner. Généralement, un programmeur hésite dans son écriture quand il sent qu'il doit agir sur une donnée, mais ne sait pas la désigner. En préalable à l'écriture du programme, vous devez recenser les données qui interviendront et leur prévoir une désignation.

Désignation des données

On distingue :

- les données propres au programme, comme des résultats intermédiaires de calculs ;
- les objets de page Web.

On distingue aussi les données connues au moment de l'écriture du programme et les données inconnues, notamment parce qu'elles peuvent varier au cours de l'exécution. Les données connues ont une désignation déterminée alors que, pour les données inconnues, la désignation est au choix du programmeur ; le choix est en partie arbitraire, mais il obéit à des règles de formation. D'où la classification suivante :

- **Constantes.** Données connues propres au programme. Si on sait qu'on veut manipuler le nombre « un », on le désigne par « 1 ». Il y a aussi des constantes symboliques qui représentent des valeurs particulières.
- **Variables.** Données inconnues propres au programme. Le nom que le client a indiqué dans un formulaire pourra être stocké dans la variable NomClient.
- **Objets et propriétés désignant des éléments (X)HTML.** On emploie des noms symboliques, qui sont prédéfinis, et non pas libres, pour le programmeur. Par exemple, le navigateur s'appelle navigator, son nom est la propriété navigator.appName.
- **Objets créés par le programmeur.** Nous ne les utilisons pas dans ce livre.

Constantes

Une constante représente la donnée en tant que telle. Il existe des constantes numériques, logiques et textuelles.

Nombres entiers

Ils se présentent tels quels en décimal : 2345 ; –61.

Nombres réels

Il n'y a que le système décimal, c'est-à-dire des notations simples comme 3.14159 ou 0.0005 ou des notations flottantes comme 6.02e23 (qui signifie $6{,}02 \times 10^{23}$) ou –1.6e–19 (nombre négatif et à exposant négatif : $-1{,}6 \times 10^{-19}$). En mémoire, JavaScript traite tous les nombres comme réels. C'est un point qui sépare la partie entière et la partie fractionnaire.

Constantes logiques ou booléennes

Elles servent à représenter Oui ou Non, le vrai ou le faux. JavaScript propose les deux constantes symboliques true (vrai) et false (faux).

Autres constantes symboliques

- ✓ Infinity : l'infini (résultat d'une division par 0) (I majuscule !)
- ✓ undefined : indéfini (pris pour toute donnée qui n'a pas reçu une valeur) (u minuscule !)
- ✓ NaN : Not a Number (pas un nombre, résultat d'un calcul impossible comme la racine carrée d'un nombre négatif)
- ✓ Null : objet inexistant ; donne faux, convertit en booléen

Textes

Les chaînes de caractères se présentent, au choix, entre " ou entre ' : "Bonjour" 'Au revoir'.

Incorporer un caractère égal au caractère délimiteur de la citation constitue un problème épineux. JavaScript a deux solutions :

- ✓ Il est possible d'utiliser le caractère délimiteur autre que celui à incorporer : si on a à mettre des ", on utilisera ' et inversement :
  - ✓ alert('Je vous dis "A bientôt" ')
  - ✓ alert("D'Artagnan était un soldat d'un grand courage")

✓ Les combinaisons \" et \' permettent d'incorporer " et ' dans une chaîne délimitée par le même caractère : \b (retour arrière), \f (nouvelle page), \n (nouvelle ligne), \r (retour chariot), \t (tabulation), \' ' (apostrophe), \" " (guillemet), \\ \ (un antislash), \ooo Car. de code octal ooo, \xhh Car.de code hexa. hh et \a a s'il est différent de tous les caractères cités.

Exemple : alert('D\'Artagnan était un soldat\nd\'un grand courage') affiche le texte sur deux lignes.

Coup de main

En (X)HTML pur, il n'y a en principe jamais à incorporer des guillemets entre guillemets et, en cas de mélange avec JavaScript, puisque (X)HTML utilise uniquement les ", on utilisera plutôt les ' dans le JavaScript :

```
<body onload="alert('Chargement terminé')">
```

S'il avait fallu utiliser des " dans l'instruction JavaScript, on aurait réduit le contenu de onload à l'appel d'une fonction ; pour la définition de cette fonction, on ne serait plus dans des " de (X)HTML, donc on aurait gagné un niveau de guillemets.

Coup de loupe

L'oubli du " ou ' fermant est très grave : JavaScript considère alors comme faisant partie de la chaîne des éléments qui auraient normalement formé des instructions. De même, un " ou ' à incorporer mal présenté fait croire à JavaScript que la chaîne est finie et la partie restante forme à tous les coups une instruction erronée.

Chaîne vide

Un cas particulier de chaîne de caractères est la chaîne vide qui renferme 0 caractère. Elle peut être représentée par deux " ou ' consécutifs : "" ou ''.

Variables

Les variables sont un des éléments les plus importants de tout langage de programmation : dès qu'on a une donnée autre qu'un objet prédéfini à manipuler ou à conserver, il faut lui attribuer une variable. La notion de variable rassemble :

✓ Son nom qui sert à la désigner dans le programme.

- Son adresse mémoire, ainsi que la taille mémoire occupée. L'avantage d'un langage évolué comme JavaScript est que le programmeur n'a pas à se préoccuper de ces éléments.
- Sa valeur susceptible de changer au cours de l'exécution, d'où le terme « variable ». C'est l'élément le plus important : on désigne la donnée par le nom, mais c'est en fait la valeur qu'on manipule.
- Son type qui définit l'ensemble des valeurs qu'on peut stocker dans la variable. JavaScript est un langage « faiblement typé » : il n'y a jamais à déclarer un type d'avance sauf pour les pseudo-objets date, tableau et chaîne de caractères.

Règles sur les noms de variables

Un nom de variable est formé d'un nombre quelconque de caractères parmi les lettres (non accentuées), les chiffres, _ (souligné) et $. Le premier caractère ne doit pas être un chiffre. Aucun caractère spécial autre que _ et $ n'est autorisé en particulier l'espace. Comme on l'a déjà dit, les majuscules et les minuscules comptent : NomCli et nomcli seraient deux variables distinctes. En outre, le nom ne doit pas être identique à un mot clé du langage.

Coup de main

Les règles grammaticales ci-dessus sont à compléter par les conseils de simple bon sens suivants. Employez des noms parlants, représentatifs du rôle de la donnée dans le programme : ValeurFinale est plus parlant que x ou y. Toutefois, restez raisonnable sur la longueur des noms : plus le nom est long, plus il y a de risques de fautes de frappe.

Évitez absolument des noms qui se ressemblent, surtout s'ils ne diffèrent que par une majuscule : Mapage et mapage, par exemple. N'employez les majuscules que pour les initiales dans les noms composés, comme dans NomClient. Vous pouvez aussi adopter nom_du_client.

Types et déclaration

La déclaration des variables n'est pas obligatoire en JavaScript. L'instruction existe mais elle ne précise pas le type de la variable. L'instruction s'écrit :

```
var PrenomClient // remarquer l'absence d'accent aigu
```

On peut déclarer plusieurs variables dans la même instruction :

```
var NomClient, PrenomClient, AgeClient
```

La déclaration peut être associée à l'initialisation de la variable ; elle devient alors exécutable :

```
var x = 5, titre = 'Les amis des chats'
```

On pourrait tout aussi bien écrire :

```
x = 5
titre = 'Les amis des chats'
```

Il y a deux cas où la déclaration var est utile :

✓ Pour préciser la portée d'une variable (zone où elle est connue) : voir plus loin la section sur les fonctions.

✓ Pour créer une donnée date, tableau ou chaîne de caractères. Ces données sont traitées comme des objets. On écrit, par exemple, var dd = new Date(),

mais on peut aussi écrire sans déclaration dd = new Date().

Objets

Sans être un langage complètement objet comme C++, JavaScript a tout de même cette notion dans trois domaines :

✓ Les objets prédéfinis désignent des éléments de la page Web. Ces objets sont les plus importants, puisque le but des programmes JavaScript est d'agir sur la page Web.

✓ JavaScript manipule les données structurées en tant qu'objets. Ces données sont les dates, les tableaux et les chaînes de caractères.

✓ JavaScript permet au programmeur de créer ses propres objets personnalisés.

Syntaxe fondamentale des objets

La syntaxe de désignation d'un objet obéit au schéma fondamental suivant : tout élément est précédé de l'élément supérieur dans la hiérarchie et suivi d'éléments inférieurs ; les éléments sont séparés par des « . » (point). Au dernier niveau, on trouve une propriété ou une méthode (fonction associée à un objet) : objet.sous-objet....propriété. Ainsi, document.title est le titre de la page, et document.write()

est la méthode qui écrit dans la page. Normalement, on devrait écrire window. document ou self.document, mais la désignation de fenêtre peut le plus souvent être sous-entendue.

Tableaux

Un tableau est une variable regroupant plusieurs données numérotées. Les données peuvent être de types différents puisque JavaScript ne s'intéresse pas beaucoup aux types, mais il est plus sensé qu'elles forment une collection et, donc, soient de même type. La numérotation commence toujours à 0. Une des données est désignée par nom[indice] où l'indice est le numéro sous la forme d'une constante, d'une variable ou d'une expression. Exemples : NomsClients[5] et Cours[3*i+2]. Une telle désignation peut figurer dans une expression, et alors la valeur de l'élément est utilisée, ou à gauche d'un signe =, et alors l'élément reçoit une valeur.

Pour créer un tableau, on peut utiliser (le mot var est facultatif) :

```
var Clients = new Array() // tableau vide et de dimension
//indéterminée
var Cours = new Array(10) // tableau de 10 éléments
var x = new Array(1, 2, 3) // tableau dont les éléments sont
// 1, 2 et 3. x[2] vaut 3.
```

On peut aussi créer le tableau sous la forme d'un littéral donnant la liste des éléments :

```
var x = [1, 2, 3] // même tableau que ci-dessus
```

Une affectation comme z[36] = 15 crée le tableau z de 37 éléments, dont seul le 37e a une valeur pour le moment. nom.length désigne la longueur du tableau c'est-à-dire le nombre d'éléments. Les indices vont de 0 à nom.length-1. Il faut avoir annoncé le tableau par z = new Array().

Tableaux à plusieurs indices

La forme littérale permet une création du genre x = [[1, 2, 3], [4, 5, 6]] qui correspond à une matrice. Le 1 serait désigné par x[0][0]. x[1][2] est le 6. x[0] est le tableau [1, 2, 3]. x.length vaut 2, x[1].length vaut 3. Tous les éléments du tableau principal ne sont pas forcément des sous-tableaux de même dimension ; certains peuvent même ne pas être des tableaux.

```
Noms = ['Jules', ['Bert', 'George'], ['Karl', 'Alfred',
 'Michael']]
```

Attention, là, Noms[2][2] existe, mais pas Noms[1][2].

Tableau associatif

Dans l'initialisation des éléments, on peut écrire Notes['Dupont']=15 et utiliser des indices chaînes de caractères : nn='Durand' ; alert(Notes[nn]).

Chaînes de caractères

On crée une chaîne par var Nom = new String('Dupont'). En fait, il suffit d'écrire Nom = 'Dupont' .

L'objet String a de nombreuses méthodes de manipulation que nous verrons plus loin. Citons dès maintenant la propriété length, longueur de la chaîne, c'est-à-dire son nombre de caractères. Dans l'exemple qui précède, Nom.length vaut 6.

Objets personnalisés

var ob = new Object() crée un objet indéterminé. Une affectation littérale comme action_bourse={nom: 'Parisbas', cours: 230.80} crée un objet qui a deux propriétés, le nom et le cours. On accède à une propriété par la notation objet, comme action_bourse.cours, ou par une notation type tableau associatif : action_bourse['cours'] Pour créer un modèle d'objets analogues, c'est-à-dire une classe, on définit une fonction qui jouera le rôle de constructeur ; nous n'en dirons pas plus dans ce livre.

Objets Web

Les objets prédéfinis qui représentent les éléments d'une page Web forment une hiérarchie qu'il faut dérouler pour accéder aux propriétés ou méthodes finales. Les navigateurs modernes ont de plus en plus tendance (et intérêt) à se conformer au DOM (*Document Object Model*), modèle standardisé des objets du document.

En tête, il y a la fenêtre principale, dont la désignation est souvent sous-entendue. Si elle ne l'est pas, elle est désignée par self ou window ou encore top. Elle a quelques propriétés simples comme name (son nom) ou status (texte de la ligne d'état). Les autres sont des sous-objets. Certains peuvent être eux-mêmes des fenêtres : ils ont alors toutes les propriétés d'une fenêtre. Par exemple, self.parent est la fenêtre dont la fenêtre actuelle dépend. Les autres sous-objets de fenêtre sont screen (paramètres de l'écran) – screen.width vaut souvent 1024 (pixels) – ;

navigator (propriétés du navigateur) – appName est son nom, appCodeName son « nom de code ». Toutefois, il est illusoire d'utiliser ces propriétés pour adapter un programme aux particularités du navigateur car les navigateurs ne leur donnent pas des valeurs « sincères ».

Autres sous-objets de window : location (adresse de la page) – ses propriétés sont les morceaux de l'adresse, href est l'adresse entière – ; pour rediriger vers une autre page, self.location.href='http://.....' ; history est l'historique de navigation, history.back() va à la page précédente (assez inutile sauf dans une recherche, puisqu'on a les commandes du navigateur).

Mais le sous-objet le plus important est document (la page Web elle-même). Parmi ses propriétés, citons bgColor (couleur de fond), fgColor (couleur du texte), title (le contenu de la balise <title> dans le <head>) et lastModified (date de dernière modification) qu'il faut obligatoirement préfixer par document. : document. lastModified.

Ses sous-objets sont les éléments de la page correspondant à des balises. Ce sont le plus souvent des collections dont les plus importantes sont links[ ] (les liens du document), images[ ] (les images) et forms[ ] (les formulaires). Un formulaire a quelques propriétés et une collection elements[ ] qui représente les contrôles d'entrée qu'on a implantés. Un contrôle select a, lui, une collection d'options.

Les membres peuvent se désigner grâce à leur numéro, depuis 0 dans l'ordre d'apparition :

```
document.images[1].width
document.forms[0].elements[3].options[1].selected
```

Si l'élément a reçu un nom (<img name="JOC" src=....>), on peut l'utiliser pour la désignation : document.images['JOC']. height ou même document.JOC.width.

Ainsi, si on a implanté :

```
<form name="F" action=....>
Age : <input name="AGE">
```

l'âge que le visiteur aura fourni sera désigné par document.forms['F']. elements['AGE'].value ou document.F.AGE.value.

Coup de loupe

Si les balises ont un attribut name ou name et id, les deux désignations fonctionnent ; s'il n'y a que id, seule la plus longue désignation fonctionne, mais, comme on l'a déjà dit, il faut qu'il y ait name pour que les valeurs soient envoyées.

outes ces désignations peuvent figurer dans une expression arithmétique à roite d'un signe = : elles sont alors utilisées (lues). Sauf pour les propriétés qui ont en lecture seule, elles peuvent figurer à gauche d'un signe = : elles sont alors crites et reçoivent une nouvelle valeur.

ésignation this

e terme this désigne l'objet courant (« cet objet » en anglais). Dans la routine éclenchée par un événement s'appliquant à un certain objet, this est cet objet-là. ien sûr, this sera suivi de « . » et des sous-objets, propriétés ou méthodes voulus.

bjet getElementById

orsqu'une balise a l'attribut id="nom", l'objet concerné peut être désigné par :

ocument.getElementById('nom').propriété .

Jne autre possibilité est offerte par la fonction getElementsByTagName('nombal se') dont le résultat est l'ensemble des objets associés à une balise de type indiué. On spécifie un élément individuel en fournissant son indice. Ainsi document. etElementsByTagName('p')[1].innerHTML est le texte du deuxième paragraphe.

Coup de main

Les propriétés les plus souvent utilisées dans ce contexte sont le contenu innerHTML et les propriétés du sous-objet style. Ceci est la source des programmes DHTML où l'aspect de la page varie dynamiquement. On peut notamment faire apparaître ou disparaître à volonté un élément en donnant la valeur 'visible' ou 'hidden' à la propriété document.getElementById('nom'). style.visibility.

bjets Number et Math

Ces deux objets appartiennent en propre à JavaScript et non aux pages Web. 'objet Number a pour propriétés des constantes caractéristiques de la représenation des nombres, comme Number.MAX_VALUE (la valeur maximale possible).

L'objet Math a pour propriétés des constantes mathématiques, comme Math.PI (), et comme méthodes des fonctions mathématiques comme Math.Random() (nombre aléatoire).

Affectation arithmétique

Maintenant que nous savons désigner les données, nous pouvons consulter leur valeur, mais aussi, pour celles qui ne sont pas des constantes, leur en attribuer une. C'est le rôle de l'instruction d'affectation, qui est l'une des plus importantes de tout langage de programmation. Elle est de la forme :

variable = expression arithmétique (par exemple, y = x * 5.043)

L'expression est calculée et le résultat est stocké dans la variable indiquée ; le signe = peut donc se lire « prend la valeur » ou encore « nouvelle valeur de la variable égale résultat de l'expression ». Le signe = joue un rôle dissymétrique les variables qui figurent dans l'expression à droite sont seulement utilisées pour le calcul, elles ne sont pas modifiées ; la variable à gauche du signe = voit, elle, sa valeur modifiée. Ceci rend compte de l'instruction n = n + 1 qui augmente de 1 la valeur de n (nouvelle valeur de n = ancienne valeur +1).

JavaScript a d'ailleurs d'autres écritures pour une telle opération : n += 1 et n++

Les variables à gauche et à droite du signe = peuvent aussi être des propriétés d'objets ; ceci permet de consulter des valeurs dans la page Web (comme des réponses à un formulaire) ou de les modifier ou encore d'agir sur des objets en changeant les propriétés :

age = document.F.AGE.value récupère la réponse de la zone d'entrée AGE du formulaire F.

document.getElementById('Z').style.visibility = 'hidden' cache l'élément d'identifiant Z.

JavaScript étant un langage faiblement typé, le résultat de l'expression arithmétique impose son type à la variable dans laquelle il est stocké ; il n'y a donc pas a priori, de conversion. Il existe quelques fonctions de conversion : x.toString convertit x en chaîne, parseInt(ch) convertit la chaîne ch en entier, parseFloat(ch) la convertit en réel.

Autres opérateurs d'affectation

De fait, le signe = est considéré lui-même comme un opérateur et une instruction d'affectation n'est qu'une expression telle que le dernier opérateur obéi soit = D'autres combinaisons constituent des opérateurs qui effectuent une affectation c'est-à-dire donnent une valeur à une variable ou la modifient.

uto-opérations

ariable op= où op peut être +, –, *, /, %, <<, >>, <<< ou &, a exactement le même ffet que variable = variable op expression. Par exemple, n += 1 (ajoute 1 à n), ıontant *= 1.196 (calcule le TTC). C'est surtout intéressant si la donnée à mani- uler est une désignation de propriété d'objet compliquée : il n'y a pas à l'écrire eux fois. Les opérateurs qui interviennent le plus souvent sont +, – et *.

ıcrémentation – décrémentation

i, dans une expression, une variable est accompagnée de ++, elle sera augmentée e 1, de —, elle sera diminuée de 1. Si le ++ ou — est après la variable, l'incré- ıentation/décrémentation a lieu après l'instruction et avant si le signe est avant. ıprès la séquence a = 3 ; b = ++a + 2 , a vaut 4 et b vaut 6. Après a = 3 ; b = a++ 2 , a vaut 4 et b vaut 5. Remarquez (et suivez) l'usage des espaces.

xpressions et opérateurs

Jne expression arithmétique est l'indication d'un calcul à faire. Dans tous les cas, lle est évaluée et c'est le résultat qui est utilisé.

- On trouve une expression arithmétique en tant qu'instruction complète si elle contient une affectation ; le résultat est affecté à la variable à gauche du signe =.
- Les expressions arithmétiques peuvent se trouver parmi les arguments dans l'appel d'une fonction ; le résultat est calculé et la fonction travaillera avec ce résultat parmi ses paramètres.
- Une expression à valeur entière peut constituer l'indice d'un tableau.
- Des expressions logiques se trouvent dans les instructions de structuration if, while, for. Une expression de n'importe quel type gouverne une instruction switch.

Jne expression combine des opérateurs et des opérandes. Tout opérande peut tre de la forme (sous-expression), ce qui permet de rendre l'expression aussi omplexe que l'on veut. L'ordre d'évaluation de l'expression est déterminé par e niveau de priorité des différents opérateurs et par les niveaux de parenthèses ıbriquées. N'hésitez pas à employer des parenthèses même redondantes pour orcer l'ordre que vous souhaitez, ou pour clarifier l'expression.

pérateurs

Dans l'ordre de priorité décroissante (les traits séparent les niveaux de priorité) :

.	Accès à sous-objet ou propriété
[ ]	Accès à un élément de tableau
( )	Appel de fonction

++ —	Pré/post Incré/décrémentation (de 1) (unaire)
-	Prendre l'opposé : - unaire
~	Complément bit à bit (unaire)
!	Contraire booléen (unaire)
delete	Supprime une propriété
new	Crée nouvel objet
void()	Renvoie valeur vide
typeof()	Type d'une donnée

---

* / %	Multiplication, division (réelle), modulo 5/3 → 1.66..7 5%3 → 2

+ –	Addition, soustraction
+	Concaténation de chaînes de caractères

<< >> >>>	Décalage de bits à gauche, à droite avec, à droite sans extension du signe 5<<3 donne 40 (multiplié par 23) –1>>30 → –1 –1>>>30 → 3 (112)

< <= > >= supérieur, supérieur ou égal	Comparaisons : inférieur, inférieur ou égal,
== !=	Comparaisons : test d'égalité, d'inégalité
=== !===	Identité, non-identité (sans conversion)
&	ET bit à bit
^	OU exclusif bit à bit
|	OU inclusif bit à bit
&&	ET logique entre deux conditions
||	OU logique entre deux conditions
?	Opérateur ternaire (cn) ? ev : ef évalue ev si cn est vraie, ef si fausse
=	Affectation
*= += -= /= %= <<= >>= >>>= &=	Affectation avec opération
,	Évaluations multiples

On voit qu'il n'y a pas d'opérateur d'élévation à la puissance ; Math.pow(a,b) calcule a^b.

L'évaluation d'une fonction et l'évaluation du contenu d'une paire de parenthèse sont plus prioritaires que les opérateurs. Exemples :

- ✓ 5 + 3 * 4 donne 17 ; (5 + 3) * 4 donne 32.
- ✓ 7 < 5 + 3 donne true (vrai) (5+3 est calculé d'abord et il est vrai que 7<8).
- ✓ (7 < 5) + 3 donne 3 (7<5 est faux donc 0 converti en entier avant d'être ajouté).
- ✓ (7 > 5) + 3 donne 4 (7>5 est vrai donc 1 converti en entier avant d'être ajouté).

Affectations multiples

Il peut y avoir plusieurs affectations dans l'évaluation d'une expression arithmétique. Premièrement, l'existence des opérateurs d'incrémentation/décrémentation entraîne que plusieurs données peuvent changer de valeur. Il s'ajoute le fait que = est considéré comme un opérateur : il peut donc y en avoir plusieurs dans l'expression. Dans x = 3 * (y = 5) + 2, y reçoit la valeur 5 et x reçoit la valeur 17.

En fait, ceci est déconseillé car on arrive rapidement à des instructions que l'auteur lui-même a du mal à relire. Un cas qui peut être pratique est l'initialisation de plusieurs variables à la même valeur : x = y = z = 0 .

Coup de loupe

Il est impératif de ne pas confondre le signe = (affectation) et le signe == (comparaison d'égalité). Dans beaucoup de langages de programmation, on trouve le même signe. En JavaScript comme en C, le fait qu'il soit un opérateur implique qu'il soit différent de la comparaison d'égalité.

Le problème gênant pour les programmeurs habitués à d'autres langages est qu'ils risquent de faire l'erreur d'écrire quelque chose comme : si (x = y) faire traitement A, sinon faire traitement B au lieu de si (x == y). La conséquence est que x prend la valeur y et la condition est interprétée comme vraie, donc le traitement A est toujours effectué alors qu'il aurait fallu B si x était différent de y.

Les opérandes

Les opérandes peuvent être :

- ✓ toute sous-expression entre parenthèses, par exemple (a * x + b – 3 * c) ;
- ✓ une constante explicite ou symbolique ;
- ✓ une variable simple ou indicée, par exemple Montant Mat[I][5*J-4] ;
- ✓ une propriété d'objet, par exemple document.F.A.Value ;
- ✓ un appel de fonction ou de méthode avec ou sans arguments, par exemple Math.Random() Math.Sin(xrad) Texte.toLowerCase() isFinite(n).

Dans le cas d'une fonction, si les arguments sont sous forme de sous-expressions, celles-ci sont évaluées d'abord, la fonction travaille avec les valeurs obtenues et le résultat est utilisé dans l'expression.

Opérations sur les chaînes de caractères

Pour définir une chaîne, il est inutile d'écrire var x = new String('texte') et il suffit de l'initialisation x = 'texte'.

La seule opération sur les chaînes est la concaténation (mise bout à bout) : 'Bon' + 'jour' produit 'Bonjour'. Le fait que le signe de la concaténation soit « + », le même que pour l'addition des nombres, peut produire des effets curieux.

La séquence :

```
a=1
alert(a+a)
alert('Résultat = '+a+a)
```

affiche successivement 2 et 11. Anticipons un peu sur la fonction alert. Lorsque l'argument de alert n'est pas une chaîne de caractères, il est converti : on ne peut afficher que des caractères. Dans le premier cas, on calcule d'abord la somme puis on convertit, donc on trouve '2'. Dans le deuxième cas, le premier « + » est une concaténation puisque le premier terme est une chaîne. Donc on continue en concaténation et chaque a sera converti en chaîne avant d'être utilisé, d'où '11'.

JavaScript possède de nombreuses fonctions chaînes qui forment des méthodes de l'objet String. ch étant une variable ou une donnée chaîne, une telle fonction portant sur ch s'écrira ch.fonction(autres arguments éventuels).

ch.length()	Longueur (nombre de caractères) de la chaîne ch.
ch.toUpperCase()	Produit une copie de ch tout en majuscules.
ch.toLowerCase()	Produit une copie de ch tout en minuscules.
z.toString(b)	Produit la représentation chaîne de caractères de la donnée quelconque z. L'argument facultatif b ne peut être présent que si z est un nombre et il est la base de numération (10 par défaut).
ch.charAt(p)	Caractère à la position p de la chaîne ch (la numérotation commence à 0).
ch.charCodeAt(p)	Code ASCII du caractère à la position p dans ch.
ch.concat(c2, c3, ...)	Concatène les chaînes ch, c2, c3. Il suffirait d'écrire ch += c2 + c3.
ch.indexOf(ssch, d)	Cherche si la sous-chaîne ssch est présente dans ch ; si oui, le résultat est la position où commence la première coïncidence ; sinon, le résultat est –1. L'argument facultatif d est la position où commence la recherche. S'il est absent, on commence au début. Exemples : 'Bonjour'.indexOf('jour') donne 3. 'Bonjour'.indexOf('bon') donne –1 (car 'B' != 'b').
ch.lastIndexOf(ssch,d)	Comme indexOf, mais la recherche se fait en reculant depuis la position de départ indiquée par l'argument facultatif d. Si d est absent, la recherche se fait sur toute la chaîne. La position obtenue est comptée à partir de la gauche. Exemples : 'BonjourBonjour'.lastIndexOf('jour') donne 10 ; 'BonjourBonjour'.lastIndexOf('jour',8) donne 3. Avec d=2, on obtient –1.

ch.slice(d, f)	Extrait la sous-chaîne de ch comprise de la position d à la position f-1 'Le bon coin'.slice(3, 6) donne bon. ch.slice(0, ch.length) donne toute la chaîne. ch.slice(p, p+k) extrait k caractères de ch commençant à la position p. Si f<d+1, on obtient la chaîne vide. Si le deuxième argument est omis, on obtient la partie droite de la chaîne depuis la position d jusqu'à la fin.
ch.split(c)	Produit le tableau des chaînes extraites de ch en utilisant le caractère c comme délimiteur. Les délimiteurs les plus souvent utilisés sont l'espace, la virgule, *etc.* Si le délimiteur est la chaîne vide, on obtient le tableau des chaînes de 1 caractère formées de chaque caractère de ch. 'veau,vache,cochon,couvée'.split(',')[1] est 'vache'.
ch.substring(d, f)	Extrait la sous-chaîne de ch comprise de la position d à la position f-1 (donc exactement identique à slice, sauf que slice veut dire « tranche » alors que substring veut dire « sous-chaîne »).
ch.substr(d, l)	Extrait de ch la sous-chaîne de l caractères commençant à la position d. Si l vaut 0, on obtient la chaîne vide. Si d+l dépasse la longueur de la chaîne, on obtient tout le reste de la chaîne à partir de d.
String.fromCharCode(k1, k2, ...)	Donne la chaîne dont les caractères ont pour codes k1, k2, *etc.* String.fromCharCode(65, 66, 67) est 'ABC'.

Opérations sur les dates

Nous nous limitons à la séquence qui affiche la date actuelle :

```
dd=new Date()
alert(dd)
```

Structuration des programmes

La programmation structurée démontre que tout traitement, aussi complexe soit-il, est la combinaison de trois structures fondamentales qu'on peut imbriquer à volonté : la séquence où les instructions s'exécutent dans l'ordre où elles sont écrites, l'alternative où selon une condition, on exécute une séquence ou une autre et l'itérative où une séquence est répétée tant qu'une condition de continuation est vraie.

En outre, le traitement peut être décomposé en routines effectuant une tâche bien définie, chacune étant confiée à une fonction.

Instructions séquentielles

Nous avons vu l'instruction séquentielle la plus importante, l'affectation arithmétique. Une autre très importante est l'appel d'une fonction, qui consiste simplement à citer le nom de la fonction en fournissant les arguments voulus dans les parenthèses.

Il y a des fonctions créées par le programmeur pour réaliser certaines étapes de son traitement, et des fonctions et méthodes prédéfinies qui effectuent certaines manipulations sur des objets de la page Web. En voici quelques-unes.

Dialogue avec l'utilisateur

Les méthodes de l'objet window (le préfixe window. est toujours sous-entendu) alert, confirm et prompt, font apparaître une boîte de dialogue qui permet au programme d'acquérir une donnée ou de communiquer un résultat. Elles servent d'ailleurs plus pour des exercices de programmation que dans une véritable page Web où on aura plutôt recours à un formulaire.

alert

alert(texte) affiche une boîte de dialogue avec le texte et un bouton **OK**. Le texte doit être formé par concaténation s'il y a lieu. Exemple :

alert ('Vous avez entré '+age)

confirm

x = confirm(texte) fait apparaître une boîte de dialogue avec le texte (qui est une question) et deux boutons de validation **OK** et **Annuler**. Le résultat x est true si le visiteur a cliqué sur **OK** et false s'il a cliqué sur **Annuler**.

rompt

: = prompt(texte,defaut) fait apparaître une boîte de dialogue avec une zone l'entrée de donnée et les boutons **OK** et **Annuler**. texte est le texte de demande t defaut la valeur par défaut affichée dans la zone. Si l'utilisateur clique sur **Annuler**, x prend la valeur false.

ctions sur les fenêtres

.a désignation de fenêtre en préfixe d'une désignation est souvent sous-entendue, urtout s'il s'agit de la fenêtre principale.

a fenêtre principale est désignée par window, self (la fenêtre dans laquelle se rouve le script en cours d'exécution) ou top.

'our changer de page affichée dans la fenêtre, on peut écrire self.location. ref='URL de la nouvelle page'.

i une fenêtre est ouverte par une instruction fen = window.open(...), alors la ariable fen sert à la désigner.

pen et close

en = window.open('URL', 'nom', 'particularités') ouvre une nouvelle fenêtre. La ariable fen contiendra l'objet fenêtre ainsi créé et pourra servir à la désigner, par xemple pour fen.document.write(...) ou fen.close().

es arguments sont des chaînes de caractères. L'URL est l'adresse du document charger dans la fenêtre, le plus souvent une autre page de votre site, mais cela eut être aussi un autre site. Le nom est un nom arbitraire qui pourra servir dans n attribut target.

es particularités spécifient la présentation de la fenêtre à créer ; les éléments sont éparés par des «,» dans la chaîne de caractères. Les éléments sont height=valeur hauteur de la fenêtre), width=valeur (largeur de la fenêtre).

es autres éléments sont sous la forme =yes ou =no pour demander la présence u l'absence :

- location (zone adresse de la page),
- menubar (barre des menus),
- resizable (le visiteur peut changer la taille de la fenêtre par glissement souris),
- status (barre d'état en bas de la fenêtre),
- toolbar (barre d'outils).

```
fen=window.open('fc.htm','nf','height=600,width=800,
location=yes,menubar=no,toolbar=yes,resizable=yes,
 status=no')
```

ouvre une fenêtre de nom nf, pour le document *fc.htm*. Elle a 600px de hauteur sur 800px de largeur ; la zone adresse et la barre d'outils sont présentes ; il n'y a pas de barre de menus (no), ni de barre d'état ; la taille peut être modifiée à la souris.

fen.close() ferme la fenêtre indiquée.

Écriture dans le document

Changer une image

Pour changer une image, il suffit d'écrire document.images ['nom'].src='nouveau fichier'. Un inconvénient potentiel est le temps de chargement du nouveau fichier. La solution serait d'avoir la(les) image(s) de remplacement préchargée(s), mais invisible(s). On écrira :

```
<img src="..." name="im" > <!-- l'image à afficher  -->
<!--ci-dessous, les images de remplacement-->
<img src="..." name="i0" style="visibility:hidden">
<img src="..." name="i1" style="visibility:hidden">
```

et le changement s'écrira :

```
document.images['im'].src=document.images['i1'].src
```

Écriture dans le document

document.write(données) écrit les données dans le document. Les données sont des chaînes de caractères ; elles contiennent des balises (X)HTML. Pour aller à la ligne, il faut incorporer '<br />' ; '\n' fait écrire le texte à la ligne, mais pour aller à la ligne sur la page visualisée, il lui faut <br />.

Coup de main

Lorsque write agit sur le document même qui contient le script, le comportement varie selon le moment de l'exécution : si c'est en cours de chargement, les données sont ajoutées à celles qui sont déjà présentes ; si c'est une fois que le chargement est terminé, les données précédentes sont effacées.

Si on veut ne modifier qu'une petite partie de la page, il faut incorporer cette partie dans une <div id="variable">. On écrira alors :

```
document.getElementById('variable').innerHTML='nouveau texte HTML'.
```

Fonctions

JavaScript a deux types de fonctions :

- les fonctions fonctions qui généralisent les fonctions mathématiques ; elles sont appelées à l'intérieur d'une expression arithmétique et elles renvoient une valeur sous leur nom ; après exécution de la fonction, cette valeur remplace l'appel dans l'expression et le calcul de l'expression continue avec cette valeur ; la valeur renvoyée est créée dans la fonction par l'instruction return expression ;
- les fonctions procédures qui ne renvoient pas de résultat sous leur nom mais effectuent d'autres actions ; leur appel consiste à citer leur nom (avec arguments) seul dans l'instruction et elles ne contiennent pas d'instructions return.

La déclaration de fonction

Toute fonction doit être définie avant d'être appelée pour la première fois, c'est-à-dire que le navigateur doit avoir « vu » la définition avant de voir les appels. C'est pourquoi les déclarations de fonctions sont souvent dans l'en-tête de la page. Elles peuvent être dans un fichier .js, ce qui est très commode pour constituer des bibliothèques réutilisables. La référence au fichier .js doit être avant l'appel.

La déclaration de fonction est de la forme :

```
function nom(arguments){
   instructions
}
```

Pour bien faire ressortir la structure, l'accolade fermante doit être alignée avec l
f de function et les instructions qui forment le corps de la fonction doivent êtr
décalées vers la droite (ce n'est pas une obligation du langage, c'est seulemen
pour faciliter la lecture).

Les instructions sont des déclarations ou des instructions exécutables qui n
seront exécutées que lors de l'appel de la fonction.

Dans la déclaration, les arguments sont sous la forme d'une liste de noms de va
riables qui représentent les paramètres que la fonction utilisera pour ses calcul
Il faut obligatoirement des variables. La liste peut être vide ; s'il n'y a pas d'argu
ments, il faut le couple de parenthèses vides.

```
function a(x, y)     function b()
```

Noms de fonctions

Le nom d'une fonction suit exactement les mêmes règles que les noms de va
riables. Il est conseillé de choisir des noms parlants qui indiquent le rôle de l
fonction : plutôt que f() ou g(), prenez verif_donnees() ou nouveau_client().

Appel

L'appel de la fonction cite le nom avec, dans les parenthèses, les arguments sou
forme de variables, constantes ou expressions arithmétiques. Pour un argumen
sous forme d'expression, celle-ci est d'abord évaluée. Les valeurs sont passée
dans l'appel pour être utilisées dans la fonction ; c'est l'ordre qui régit la corres
pondance, non les noms de variables employés : avec function f(a, b), on pourr
avoir l'appel x=3 ; y=4 ; f(x,y) et la fonction travaillera avec a=3 et b=4.

Si l'appel fait intervenir moins d'arguments que la déclaration, on considère qu
les premiers sont fournis et les autres sont vus comme undefined.

Si la fonction est du type fonction, elle est utilisée dans le calcul de l'expression
par exemple, si f(10) a pour résultat 4, l'expression d'appel x = 5*f(10) + 3 don
nera à x la valeur 23. Il faut alors que l'exécution de la fonction ait comporté a
moins une instruction return valeur. Si la fonction est du type procédure, elle ser
en principe seule dans l'instruction d'appel et il n'y a pas besoin d'instructio
return.

Exécution

Soit la fonction :

```
function f(t,u){
    v=1
    alert(t+' '+u+' '+v)
    t=10
}
```

et l'appel :

```
a=5 ; v=2 ; z=8
f(a,z)
alert(a+' '+v)
```

On obtient 5 8 1 et 5 1.

Ceci montre que la correspondance entre t et a s'est bien faite : la fonction a travaillé avec t=5. On voit que la fonction peut agir sur d'autres variables : v a bien été modifiée par la fonction. On voit aussi qu'une variable argument peut recevoir une valeur dans la fonction, mais celle-ci n'est pas transmise à l'appelant ; en fait, la fonction travaille sur une copie. Mais si l'argument est un tableau ou un objet, la modification est répercutée dans l'appelant.

Portée des variables

Maintenant, on remplace dans la fonction v=1 par var v=1, c'est-à-dire que la fonction déclare la variable v. Les affichages sont 5 8 1 et 5 2. Ceci montre qu'il y a maintenant deux variables v. Celle qui est déclarée dans la fonction n'est connue que dans la fonction, on dit qu'elle est locale. L'autre variable v est connue à l'extérieur de la fonction, on dit qu'elle est globale.

Tout élément déclaré dans une fonction est local à cette fonction : il n'est connu (visible, accessible) que dans cette dernière. Il faut éviter de créer plusieurs variables ayant même nom sauf pour des données de manœuvre comme des indices de boucle. Il suffit d'implanter la déclaration var i dans chaque fonction.

Récursivité

Les fonctions JavaScript sont récursives, c'est-à-dire peuvent s'appeler elles-mêmes. L'appel doit être conditionnel car il faut que la récurrence puisse s'arrêter. Voici par exemple le calcul d'une factorielle :

```
function fact(n) {return (n>1) ? n*fact(n-1) : 1 }
```

Alternatives

JavaScript a deux constructions alternatives : if à deux branches et switch à plusieurs branches.

if

Sa forme générale est :

```
if (condition) {
   instructions si la
   condition est vraie
}else{
   instructions si la
   condition est fausse
}
```

On exécute le bloc {} correspondant à la condition et on passe à la suite (après la dernière }). Exemple :

```
if (langue=='anglais') {
  location.href='http://www.thetimes.uk'
}else{
  location.href='http://www.lemonde.fr'
}
```

Variantes

La clause else et le bloc correspondant peuvent être absents : si la condition est fausse, on passe immédiatement à la suite.

Exemple : remplacer x par sa valeur absolue : if (x<0) {x = -x}

S'il n'y a qu'une instruction dans un bloc, on peut se dispenser des accolades et tout mettre sur une ligne ; la première instruction doit se terminer par « ; » (devant le else). Un bloc peut être vide ; si c'est le premier, on inversera plutôt la condition pour supprimer la clause else.

if imbriqués

Les blocs peuvent contenir n'importe quelles instructions, y compris des if ou d'autres structures. Exemple :

```
if (age>65) {
```

```
    alert('Limite d\'âge dépassée')
}else{
    if (age<35) {
        alert('Vous n\'avez pas l'âge requis')
    }else{
        alert('Age convenable')
    }
}
```

Coup de main

Dès que vous avez tapé if…{, ou dès que vous avez tapé }else{, tapez une ligne blanche puis } alignée. Ainsi, vous n'avez plus qu'à taper les instructions des blocs à la place des lignes blanches et vous ne risquez pas d'oublier les }.

Les conditions

En JavaScript, une condition est toujours entre parenthèses.

Une condition est une expression que JavaScript sait évaluer comme vraie ou fausse. Une condition peut être simple ou composée, c'est-à-dire une combinaison de conditions simples à l'aide des opérateurs logiques ! (non), && (et) et || (ou).

Conditions simples

Les conditions simples peuvent prendre les formes suivantes.

- ✓ Une des constantes true ou false.
- ✓ Un nombre, une variable ou une expression, sachant que 0 donne faux, tout nombre non nul donne vrai.
- ✓ Un objet ou une propriété, sachant qu'on obtient vrai s'il existe, faux sinon ; nous y reviendrons en détail dans la section « Existence des objets » ;
- ✓ Une comparaison. C'est le cas le plus important. Les opérateurs de comparaison sont <, <=, ==, >, >= et !=. Ils ne posent aucune difficulté sauf l'égalité : il faut impérativement un double signe =. Pour les nombres réels, la précision joue : Math.PI == 3.14159 donne faux.

De plus, les opérateurs === et !== testent l'identité et non plus seulement l'égalité, c'est-à-dire ne font pas de conversion de type. 5 == '5' donne vrai alors que 5

=== '5' donne faux (même nombre, mais 5 est le nombre, et '5' est la chaîne qui le représente).

Les opérateurs arithmétiques étant plus prioritaires que les opérateurs de comparaison, on peut écrire if (3*Math.sin(x)+4 < 2*y) …, mais, s'il est plus clair pour vous de mettre des parenthèses, n'hésitez pas : if ((3*Math.sin(x)+4) < (2*y)) …

Conditions composées

On peut combiner les conditions simples avec les opérateurs ! (prendre le contraire), && (et logique, vrai si et seulement si les deux opérandes sont vrais) et || (ou vrai dès que l'un des opérandes est vrai). Attention, les opérateurs sont à double signe : & et | agissent bit à bit sur des données binaires et non sur des conditions logiques. Comme les opérateurs sont moins prioritaires que les opérateurs de comparaison, les parenthèses sont souvent inutiles, mais vous pouvez toutefois les utiliser pour améliorer la lisibilité. Elles restent nécessaires pour ! qui est plus prioritaire :

if (!(a<b)).... : on écrira plutôt if (a>=b) …

if (a>b || c!=36)… : si a est supérieur à b, ou si c est différent de 36

if (x>=14 && x<=18) : si x est compris entre 14 et 18. Ceci est la seule manière d'écrire « compris entre ». Une écriture comme (3<5<8) sera correcte et vaudra vrai, tandis que (0.3<0.5<0.8) vaudra faux. En effet, on effectue d'abord la comparaison à gauche, qui donne vrai, soit 1, converti en nombre pour la deuxième comparaison.

Existence des objets

Une référence à un sous-objet ou une propriété d'un objet qui n'existe pas parce que le langage (ou le navigateur) ne le gère pas crée une erreur. En revanche, la référence à une propriété d'un objet qui existe, ou à un objet existant ou non, ne crée pas d'erreur et, convertie en logique, donne vrai si l'élément existe et faux s'il n'existe pas.

Par exemple, ayant une page dépourvue d'images, if(document.images) donne vrai si le navigateur gère les images.

Ceci est donc un moyen de savoir quel est le navigateur de votre visiteur (pour y adapter votre traitement) plus efficace que les propriétés de navigator auxquelles les navigateurs ne répondent pas sincèrement.

if (document.getElementById) vérifie que le navigateur connaît cette méthode. Pour une méthode, on ne met pas les parenthèses de fonction. Il est très pratique de pouvoir vérifier l'existence d'un élément du langage juste avant de l'utiliser.

switch

```
switch (expression) {
   case constante1 : instructions1
   case constante2 : instructions2
   ...
   default : instructions
}
```

permet d'avoir une alternative à plus que deux branches. L'expression est quelconque, mais doit être entre (). La clause default est facultative. L'expression est calculée. Si sa valeur correspond à une des constantes, les instructions correspondantes sont exécutées. Si la valeur ne correspond à aucune des valeurs et s'il n'y a pas de clause default, on va à la suite ; s'il y a une clause default, on effectue les instructions correspondantes.

Il est pratiquement indispensable de terminer chaque séquence par une instruction break qui assure qu'on n'exécutera qu'une séquence. S'il n'y a pas de break, on exécute les cases qui suivent celui qu'on vient d'exécuter et, si la clause default est présente, elle est toujours exécutée.

L'opérateur ? :

L'opérateur ternaire est de la forme (condition) ? expression_v : expression_f.

Si la condition est vraie, c'est expression_v qui est calculée ; sinon, c'est expression_f. Exemple :

```
statut = (age<18) ? 'mineur' : 'majeur'
```

Structures itératives

JavaScript offre quatre moyens de réaliser une structure itérative, qui permet de répéter une séquence en fonction de conditions. On dit qu'on forme une boucle. Une exécution des instructions à répéter s'appelle une *itération*.

while

```
while (condition) {
     instructions
}
```

répète les instructions tant que la condition est vraie.

```
s=0
while (n>0) {
    s = s + n
    n = n-1
}
```

calcule la somme des n premiers entiers.

Il faut, bien sûr, que les données évoluent pour que la condition devienne fausse au bout d'un nombre fini d'itérations. Sinon, le programme boucle indéfiniment. Internet Explorer signale cette situation de bouclage au bout d'un certain temps.

do...while

Si, dans la structure précédente, on arrive sur le while alors que la condition est déjà fausse, on n'effectue aucune itération, puisque la condition est testée « en tête », avant d'effectuer chaque itération. Avec :

```
do {
    instructions
} while (condition) ;
```

une itération est effectuée, quoi qu'il arrive. Sinon, le fonctionnement est le même.

for

for est la structure de boucle la plus utilisée : les itérations sont accompagnées par une variable qui les compte et qui peut être utilisée dans le traitement et dans la condition d'arrêt. Ce sera idéal pour examiner successivement les éléments d'un tableau puisque cette variable servira d'indice et sa valeur limite sera la taille du tableau. La forme est :

```
for (initialisation ; condition ; évolution) {
    instructions
    à répéter
}
```

Au départ, on effectue les instructions de initialisation : s'il y en a plusieurs, elles sont séparées par des « , ». Il y en a au moins une qui donne une valeur initiale à la variable d'accompagnement (par exemple, i=1). Une itération est effectuée.

On exécute alors les instructions du groupe évolution, parmi lesquelles il y a sûrement une incrémentation/décrémentation de la variable d'accompagnement (exemple i++). Puis on teste la condition qui est de la forme i<limite dans le cas d'incrémentation – et alors la boucle est dite montante –, ou de la forme i>limite dans le cas de décrémentation – et alors la boucle est dite descendante. Tant que la condition sera satisfaite, on démarrera une nouvelle itération.

Exemple : ayant un tableau de nombres ta, calculer la somme des éléments suivants.

```
ta=[12, 15, 36 .....]
for (i=0, s=0 ; i<ta.length ; i++) {
    s += ta[i]
}
```

Bien que très facile, cet exemple est fondamental. On a placé l'initialisation de s avec celle de i. La condition de continuation est telle que le dernier élément ajouté est d'indice ta.length-1 : c'est bien le dernier (la numérotation commence à 0). La dernière valeur de i est ta.length : il n'y aura pas d'itération pour cette valeur.

L'intervalle d'incrémentation/décrémentation n'est pas forcément 1. Si la variable d'accompagnement n'est pas un indice de tableau, elle n'est même pas forcément entière :

```
for (i=-3 ; i<12 ; i+=0.5) ...
```

Variantes d'écriture

Lorsqu'il n'y a qu'une instruction à répéter, on peut se dispenser des { } et tout mettre sur la même ligne. Nous conseillons de terminer par « ; ».

Maintenant, une seule instruction courte pourrait être incorporée dans la partie évolution du for. Pour notre exemple, on écrirait :

```
for (i=0, s=0 ; i<ta.length ; s += ta[i] , i++) ;
```

Dans ce cas, le « ; » est obligatoire ; sinon, l'instruction suivante serait considérée comme à répéter.

Coup de loupe

Cette pratique est à éviter ; distinguez les instructions de l'incrémentation, utilisez toujours les { } avec les indentations, ce qui vous permettra de voir clairement la logique du programme, surtout s'il y a des structures imbriquées.

for...in

Pour un tableau, la forme for (i in ta) {....} fait parcourir à i toutes les valeurs possibles de l'indice du tableau et effectuer les instructions à répéter pour chacune de ces valeurs. Pour afficher le tableau ta :

```
for (i in ta){
  document.write('ta['+i+'] = '+ta[i]+'<br />')
}
```

Il se crée des lignes du genre ta[3] = 36.

Encore plus intéressant, pour un objet, for (p in ob) {...} fait parcourir à p (chaîne de caractères) tous les noms de sous-objets ou propriétés de l'objet ob, et exécuter les instructions à répéter pour chacun(e). Ci-dessous, la fonction qui affiche les propriétés et leurs valeurs pour l'objet passé en argument.

```
function affiche_objet(ob,nob) {
  for (p in ob){
    document.write(nob+'.'+p+'='+ob[p]+'<br />')
  }
}
```

Exemple d'appel : affiche_objet(navigator,'navigator').

Événements

Le but de beaucoup de scripts JavaScript est de réagir à des événements. Certains événements sont caractéristiques d'éléments, notamment le survol, le clic, *etc.* Ils sont alors spécifiés par un attribut de la balise qui installe l'élément sous la forme onévénement="instructions" ; les instructions se résument généralement à l'appel d'une fonction, par exemple : onsubmit="verif_form()".

Le tableau suivant résume ces événements.

Événement	Balises	Définition
onabort	<img>	Abandon du chargement
onblur	<a>, <area>, <button>, <label>, <input> (texte), <select>, <textarea>	Perte du focus
onclick	<input>(boutons ou coches), <a>, <area>	Clic sur l'objet
onchange	<input> (texte), <textarea>, <select>	Changement de valeur
ondblclick	<input>(boutons ou coches)	Double clic
ondragdrop	<body>, <frameset>	Glissement souris
onerror	<img>	Une erreur se produit au chargement d'une image
onfocus	<a>, <area>, <button>, <label>, <input> (texte), <select>, <textarea>	L'objet reçoit le focus
onkeydown onkeypress onkeyup	<input> (texte), <textarea>	Enfoncement, appui, relâchement d'une touche
onload	<body>, <frameset>	Fin de chargement de la page
onmousedown onmouseup	<a>, <area>, <input> (boutons ou coches)	Enfoncement, relâchement d'un bouton souris
onmousemove	Pas d'objet	Déplacement souris
onmouseover onmouseout	<a>, <area>, <img>	La souris passe sur/quitte l'objet
onmove onresize onunload	<body>, <frameset>	Déplacement/changement de taille de la fenêtre. Déchargement page

Événement	Balises	Définition
onreset onsubmit	<form>	Remise à zéro/soumission du formulaire
onselect	<input> (texte), <textarea>	Sélection de texte dans le champ de saisie

Gestion des événements

Tout événement est caractérisé par une action standard système : par exemple, pour le clic sur un lien, l'action consiste à aller à la cible du lien. Lorsqu'il n'y a pas de routine JavaScript associée à l'événement, cette action standard est effectuée sans autre forme de procès. Lorsqu'il y a une routine, elle est exécutée avant l'action système. Si la routine a pour résultat true, l'action système est effectuée ; si le résultat est false, l'action standard est inhibée. Il faut écrire on....="return f()" et, selon le cas de figure, dans f() on exécutera return true ou return false.

Autres manières d'associer une routine

L'association par un attribut on... dans une balise est critiquée car elle ne sépare pas suffisamment l'information et le comportement. La méthode suivante fait l'association dans un script. On utilise l'instruction objet.onévénement = nom_fonction sans parenthèses, ni arguments.

Exemple :

```
window.onload=fload    document.onclick=f
```

Manière standard du DOM

Attention, cette manière s'écrit autrement avec Internet Explorer qui ne respecte pas encore le standard sur cette question, mais nous vous renvoyons à l'Internet (`http://www.howtocreate.co.uk/tutorials/javascript/dombasics`) ou à des ouvrages spécialisés pour les détails. La manière standard consiste à écrire par exemple :

```
document.addEventListener('load', fload, true)
```

Événements temporels

x=setTimeout('instructions',t) fait exécuter les instructions indiquées après t millisecondes. Cette minuterie s'arrête à épuisement du délai ; clearTimeout(x) l'arrête avant.

Traitement périodique

x = setInterval('instructions', t) exécute les instructions toutes les t millisecondes. clearInterval(x) arrête ce traitement périodique.

Bien sûr, les « instructions » consistent le plus souvent en l'appel d'une fonction.

Animez votre page

Créez un deuxième exemplaire du dossier aac10 sous le nom aac10_2. Dans *index.htm*, transformez la div page en :

```
<div id="page">
<script>
var v, chs, x, y, i, t, l, d=document
function depart() {
  x=setInterval('defil()',200);  y=setInterval('clign()',500)
  t=d.getElementById('def').innerHTML
  l=t.length ;  tt=t ; t+=t ; i=0
  chs=d.getElementById('chat').style
  v='visible';  chs.visibility=v
}
function clign() {
  if (v=='visible') {v='hidden'} else {v='visible'}
  chs.visibility=v
}
function arret() {
  clearInterval(x) ;  clearInterval(y)
}
function defil() {
  if((i+=1)>=l) {i=0}
  tt=t.substr(i,l)
  d.getElementById('def').innerHTML=tt
}
</script>
<a href="#" onclick="arret()"><img src="minou.jpg" id="chat" /></
a>
<h2 id="def">Bonnes fêtes  </h2>
```

```
L'Association des Amis des Chats du 10e accueille<br />
tous ceux qui aiment les chats dans le 10e arrondissement.<br />
Elle est votre association. Adhérez.
<script>depart()</script>
</div>
```

Coup de loupe

Le programme est une application immédiate de la fonction setInterval. La première ligne est prise en compte dès la lecture ; la routine depart() est exécutée seulement à la fin du chargement, sinon getElementById ne serait pas définie : on ne peut pas agir sur des éléments si on n'est pas sûr qu'ils soient chargés ! tt est le texte écrit dans la zone ; on y accède par l'objet getElementById, propriété innerHTML. t est le même texte écrit deux fois : ainsi, le texte défilant (longueur l, position de début i) est facile à extraire par la méthode substr :

[xxxx]xxxxxxxxxx: xxxx[xxxx]xxxxxx: xxxxxxxxxx[xxxx]

On a lancé deux timers. On voit qu'on accède aux propriétés de styles même s'il n'y a pas de balise <style>. Les noms JavaScript des propriétés se déduisent facilement des noms CSS :

- ✓ Si le nom est en un seul mot, il est identique ; `visibility` reste `visibility`.
- ✓ S'il est composé, on supprime les « - », mais, à partir du deuxième mot, les initiales sont en majuscules ; `border-top-color` devient `borderTopColor`.

En outre, on affecte une valeur avec le signe « = » au lieu du « : » CSS.

On peut obtenir les mêmes effets sans JavaScript en implantant des images GIF animées, créées par exemple avec MS GIF Animator.

Pendant la période des fêtes, vous aurez un chat clignotant et la banderol « Bonnes fêtes » défilera. On arrête par un clic sur la photo du chat. L'image es incluse dans un lien virtuel de manière qu'elle soit sensible à l'événement onclic

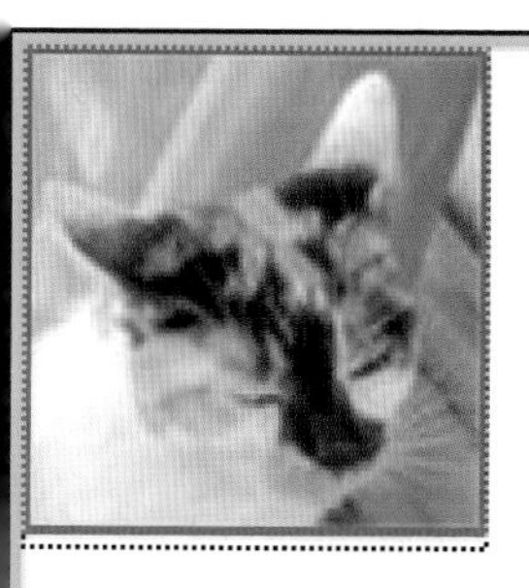

s Bonnes fête fêtes Bonnes

Validez un formulaire

Vous allez maintenant créer la fonction preadh() dans le fichier adh.js pour vérifier que la personne qui souhaite adhérer à l'AAC10 fournit bien tous les renseignements obligatoires.

Par exemple, le nom-prénom fourni se désigne en JavaScript par document.FF.npr. Pour chaque rubrique, on teste si la chaîne de caractères n'est pas vide. Si elle l'est, on ajoute un terme à la variable msg. Si msg est restée vide, c'est qu'il n'y a pas d'erreur, on envoie le formulaire ; s'il y a une erreur, on affiche un message (par alert).

```
// adh.js
function preadh() {
  df=document.FF
  msg=''
  if (df.npr.value=='') {msg+='Nom Prénom\n'}
  if (df.adr.value=='') {msg+='Adresse\n'}
  if (df.cpv.value=='') {msg+='CP Ville\n'}
  if (df.mp.value=='') {msg+='Mot de passe\n'}
  if (msg != '') {
    alert('Donnée(s) manquante(s) :\n'+msg)
    return false
  }else{
    return true
  }
}
```

Il n'y a pas de vérification pour M. Mme ou Mlle puisqu'il y a une valeur par défaut. Là où, dans le programme, vous lisez '', c'est deux apostrophes et non un guillemet. La figure ci-dessous est un exemple du message d'erreur qu'on peut obtenir.

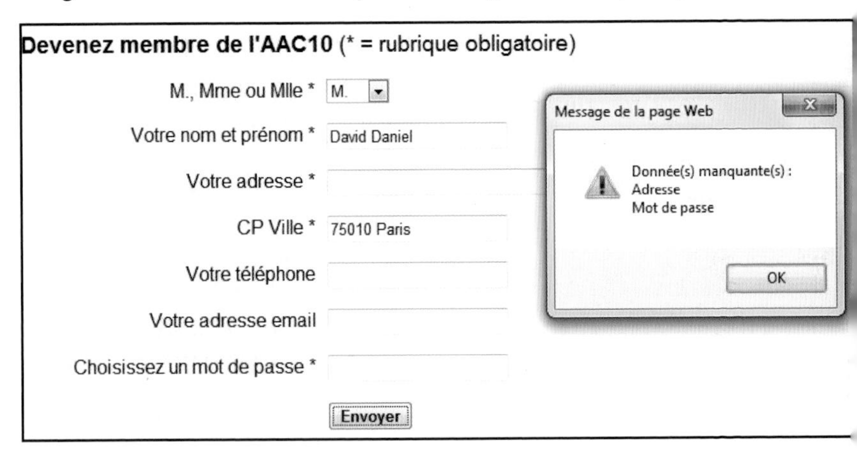

Coup de loupe

Selon le degré de sécurité du navigateur que vous utiliserez pour vos tests, vous aurez peut-être à autoriser l'exécution des scripts.

Pour vous aider à protéger votre ordinateur, Internet Explorer a restreint l'exécution des scripts ou des contrôles ActiveX de cette page Web qui pourraient accéder à votre ordinateur. Cliquez ici pour afficher plus d'options... ×

Coup de main

Notre traitement de JavaScript a été limité à l'essentiel pour une prise en main. Vous pouvez trouver un exposé plus détaillé et avec de nombreux exemples dans l'ouvrage *Développer un site Web* (Éditions Ellipses) de Daniel-Jean David.

Chapitre 8

8

Découvrez PHP

Dans ce chapitre

- ✓ Règles d'écriture et manipulation des données
- ✓ Structuration des programmes
- ✓ Chaînes de caractères et tableaux
- ✓ Fichiers et dossiers
- ✓ Pages modulaires
- ✓ Page créée/modifiée à la demande
- ✓ Traitement d'un formulaire
- ✓ Forum

Éléments du langage

PHP (*Personal Home Page*) est le langage le plus utilisé pour les programmes qui s'exécutent sur le serveur. L'exécution de programmes sur le serveur pose un problème d'autorisation de l'hébergeur, et, bien sûr, il faut que l'interpréteur convenable soit installé.

Règles d'écriture et manipulation des données

Fichier .php – mécanisme fondamental de PHP

Un programme PHP réside dans un fichier texte, d'extension .php. Vous devez construire ce fichier avec votre éditeur de texte habituel que vous utilisez déjà pour créer vos fichiers .htm, .css et .js. Vous devez envoyer vos fichiers .php chez votre hébergeur par le logiciel de FTP que vous utilisez pour les autres fichiers de votre site.

Il faut comprendre que, pour un navigateur, un fichier .php est équivalent à un fichier page Web .htm. Tout comme un fichier .htm, vous pouvez taper une URL de la forme http://www.site/ rep/page.php dans la zone adresse du navigateur, ou avoir <form...action="....php"> dans un formulaire ou bien avoir dans un script JavaScript l'instruction location.href="....php".

Dans tous les cas, le navigateur va demander le fichier .php au serveur comme il l'aurait fait pour un fichier .htm. Dans le cas d'un fichier .htm (ou .css, .js ou image), le serveur envoie le fichier tel quel. Dans le cas d'un fichier .php, le serveur démarre l'interpréteur PHP pour exécuter le fichier .php.

L'exécution du programme PHP effectue deux sortes d'actions :

- ✓ des manipulations, lectures, mises à jour de fichiers du serveur ;
- ✓ des écritures sur ce qu'on appelle la *sortie standard*.

L'ensemble des écritures sur la sortie standard est envoyé par le serveur vers le navigateur qui va l'afficher en considérant que c'est la page Web qu'il attendait. Conséquence immédiate : ce que vous écrivez sur la sortie standard doit être du XHTML. Exemple : un programme de traitement d'un formulaire aura comme manipulation de fichiers du serveur la mémorisation des données reçues et comme écriture sur la sortie standard la création d'une page d'accusé réception.

Contenu du fichier PHP

1. Un élément important à retenir est qu'un fichier .php contient un mélange de séquences d'instructions PHP et de séquences de texte ordinaire. Le texte ordinaire est d'office envoyé sur la sortie standard, donc il faut que ce soit du XHTML.
2. L'autre manière d'écrire sur la sortie standard est l'instruction echo, par exemple echo "<body>\n";.
3. Une séquence PHP doit être entre <?php et ?>.
4. L'ensemble des séquences PHP du fichier sont considérées comme formant un seul programme.

Exemple trivial. Le fichier *exemple1.php* :

```
<html>
<?php
echo "<body>";
?>
<h1>Exemple</h1>
<?php
echo "</body>";
?>
</html>
```

est exactement équivalent à *exemple2.php* :

```
<?php
echo "<html>";
echo "<body>";
echo "<h1>Exemple</h1>";
echo "</body>";
echo "</html>";
?>
```

Il crée le texte (sur une ligne) :

```
<html><body><h1>Exemple</h1></body></html>.
```

Coup de loupe

Un fichier qui contient un mélange HTML et PHP doit avoir l'extension .php ; sinon, l'interpréteur PHP ne sera pas appelé et les instructions ne seront pas exécutées.

Il faut que l'interpréteur PHP soit installé et activé dans votre contrat d'hébergement : vous devez le vérifier auprès de votre hébergeur. Pour vous assurer que PHP fonctionne, vous pouvez envoyer l'un de ces fichiers et l'appeler par votre navigateur. C'est d'ailleurs ce que vous devrez faire pour chaque fichier PHP que vous construirez.

Les instructions PHP doivent être entre <?php et ?>. En cas de mélange HTML et PHP, il y aura autant de couples que de séquences PHP.

Règles d'écriture

Une instruction par ligne

La règle générale est « une instruction par ligne ». En outre, comme en C, **en PHP, toute instruction doit être terminée par un « ; ».**

La règle a les exceptions habituelles :

- ✓ (rarement) Une ligne contient plusieurs instructions ; dans ce cas, le « ; » sert de séparateur : $x=3 ; echo $x ; Les « ; », sauf le dernier, doivent être suivis d'un espace.
- ✓ Une instruction peut se prolonger sur la ligne suivante. L'interpréteur PHP lit les lignes successives tant qu'il n'a pas trouvé le « ; » qui termine l'instruction. On ne peut pas couper une chaîne de caractères entre ' ou ", on procède par concaténation (opérateur « . ») :

```
echo 'Les bavards font de longs' .
'discours'
```

Coup de main

Pour taper une instruction, commencez par le « ; » : ainsi, vous ne l'oublierez pas.

es espaces

es espaces sont libres en PHP en ce sens que là où il peut ou doit y en avoir un, ous pouvez en mettre plusieurs. Il ne doit pas y en avoir à l'intérieur d'un mot lé et d'un nom de variable ou de fonction.

es opérateurs sont entourés d'espaces facultatifs : $z = $x * $y est préférable, ıais $z=$x*$y est accepté. Un nom de fonction doit être séparé du mot clé funcon ; l'espace devant « (» est facultatif. Il en faut après les « , » et les « ; ».

1ajuscules et minuscules

HP est un langage « C-like », c'est-à-dire inspiré par le langage C. À ce titre, il istingue les majuscules et les minuscules. $MaPage et $mapage sont les noms de eux variables distinctes.

es mots clés (if, for...) sont tous en minuscules (If et For sont acceptés en PHP, ıais pas en JavaScript). Il faut respecter l'orthographe des identificateurs (foncions ou constantes) prédéfinis.

ommentaires

es commentaires sont des textes qui sont sans effet sur le fonctionnement du rogramme ; ils servent à expliquer celui-ci. Un commentaire sur plusieurs lignes 'écrit entre /* et */ :

```
/* Vérification de la présence
des données dans le formulaire */
```

Jn commentaire en fin d'instruction s'écrit après // :

```
$page="plan.htm" // Nom de la page à appeler
```

peut occuper toute une ligne ; s'il en occupe plusieurs, chacune doit commencer ar //.

igne vide

On peut aérer le programme en laissant des lignes vides. Il est conseillé de les ommencer par // pour montrer que c'est intentionnel.

Manipulation des données

Tout programme ne fait que manipuler des données. Pour manipuler une donnée il faut la désigner ; assez souvent, si un programmeur hésite dans son écriture c'est qu'il sent qu'il doit agir sur une donnée, alors qu'il ne sait pas la désigner. En préalable à l'écriture du programme, vous devez recenser les données qui interviendront et leur prévoir une désignation.

Désignation des données

On distingue :

- ✓ les données propres au programme, comme des résultats intermédiaires de calculs ;
- ✓ les éléments prédéfinis.

On distingue aussi les données connues au moment de l'écriture du programme et les données inconnues, notamment parce qu'elles peuvent varier au cours de l'exécution. Les données connues ont une désignation déterminée alors que, pour les données inconnues, la désignation est au choix du programmeur ; le choix est en partie arbitraire, mais il obéit à des règles de formation. D'où la classification :

- ✓ **Constantes.** Données connues propres au programme. Si l'on sait qu'on veut manipuler le nombre « un », on le désigne par « 1 ». Il y a aussi des constantes symboliques qui représentent des valeurs particulières.
- ✓ **Variables.** Données inconnues propres au programme. Le nom que le client a indiqué dans un formulaire pourra être stocké dans la variable $NomClient.
- ✓ **Objets et propriétés désignant des éléments XHTML.** On emploie des noms symboliques, qui sont prédéfinis, et non pas libres pour le programmeur. Par exemple, pour récupérer l'âge du visiteur envoyé dans un formulaire avec le nom d'<input> AGE et la méthode post, on écrira $_POST['AGE'].
- ✓ **Objets créés par le programmeur.** Nous ne les utilisons pas dans ce livre.

Constantes

Une constante représente la donnée en tant que telle. Il existe des constantes numériques, logiques et textuelles.

Nombres entiers

Ils se présentent tels quels en décimal : 2345 ; –61.

ombres réels

n'y a que le système décimal, c'est-à-dire des notations simples comme 3.14159 u 0.0005 ou des notations flottantes comme 6.02e23 (qui signifie 6,02x1023) u −1.6e-19 (nombre négatif et à exposant négatif : $-1{,}6\times10^{-19}$). En mémoire, PHP raite tous les nombres comme réels double précision ; les caractéristiques dé- endent de la plate-forme, mais on peut tabler sur 14 chiffres significatifs et un rdre de grandeur de 10^{308}. C'est un point qui sépare la partie entière et la partie actionnaire.

extes

es chaînes de caractères se présentent, au choix, entre " ou entre ' : "Bonjour" ; Au revoir'.

ncorporation de " ou de '

ncorporer un caractère égal au caractère délimiteur de la citation constitue un roblème épineux. PHP a deux solutions :

- Utiliser le caractère délimiteur autre que celui à incorporer : si l'on a à mettre des ", on utilisera ' et inversement. Par exemple, les balises HTML utilisent des ", donc il est commode de les créer entre ' : echo '<img src="maphoto.jpg">';
- Les combinaisons \" et \' permettent d'incorporer " et ' dans une chaîne délimitée par le même caractère. Cela s'appelle *l'échappement*.

Dans les chaînes entre ", les combinaisons avec \ sont plus nombreuses : \"…", … \ (antislash), \$…$, \n (nouvelle ligne ; code 10), \r (retour chariot ; code 13), t (tabulation horizontale ; code 9).

Coup de loupe

L'oubli du " ou ' fermant est très grave : PHP considère alors comme faisant partie de la chaîne des éléments qui auraient normalement formé des instructions. De même, un " ou ' à incorporer mal présenté fait croire à PHP que la chaîne est finie et la partie restante forme à tous les coups une instruction erronée.

haîne vide

Jn cas particulier de chaîne de caractères est la chaîne vide qui renferme 0 carac- ère. Elle peut être représentée par deux " ou ' consécutifs : "" ou ''.

Constantes nominales

Ce sont des constantes désignées par un nom. L'habitude héritée du langage C es d'utiliser des majuscules. Pour le moment, les seules constantes prédéfinies qu nous citons sont les deux valeurs booléennes TRUE (vrai) et FALSE (faux) ain que NULL, la valeur d'une donnée qui n'a pas de valeur.

Vous pouvez introduire une constante nominale par define("nom","valeur") L'intérêt est que le nom peut être plus parlant que la valeur ; par exempl après define("TxTVA","0.196"); $px*(1+TxTVA) sera plus compréhensible qu $px*1.196.

Variables

Les variables sont un des éléments les plus importants de tout langage de pro grammation : dès qu'on a une donnée autre qu'un objet prédéfini à manipule ou à conserver, il faut lui attribuer une variable. La notion de variable rassemble

- ✓ Son nom qui sert à la désigner dans le programme.
- ✓ Son adresse mémoire, ainsi que la taille mémoire occupée. L'avantage d'un langage évolué comme PHP est que le programmeur n'a pas à se préoccupe de ces éléments.
- ✓ Sa valeur susceptible de changer au cours de l'exécution, d'où le terme « variable ». C'est l'élément le plus important : on désigne la donnée par le nom, mais c'est en fait la valeur qu'on manipule.
- ✓ Son type qui définit l'ensemble des valeurs qu'on peut stocker dans la variable. Le type dépend de la valeur assignée à la variable ; il peut changer e on n'a pas à le déclarer.

Règles sur les noms de variables

Originalité de PHP : **un nom de variable commence toujours par le signe** (dollar). Ce n'est pas le cas des noms de constantes ou de fonctions, mais c'es aussi le cas des variables prédéfinies (par exemple, $HTTP_POST_VARS).

Le reste du nom suit des règles semblables aux autres langages :

- ✓ Les noms sont formés de lettres ou chiffres, et commencent par une lettre (après le $) ; les majuscules et les minuscules comptent.
- ✓ Le seul caractère spécial autorisé est le souligné (_) ; donc les opérateurs, le point, l'espace, les crochets ou parenthèses sont interdits.
- ✓ Les noms ne doivent pas être identiques à un mot clé du langage (comme if)

(règle qui n'est pas imposée par le langage, mais par le bon sens) Les noms sont arbitraires (inventés par le programmeur), mais il est impératif de choisir des noms parlants, c'est-à-dire qui rappellent le rôle de la variable : $nom_du_site est bien préférable à $s. Le nombre de caractères n'est pas limité, mais doit rester raisonnable.

s types

HP est un langage faiblement typé : il est inutile de déclarer d'avance le type une variable ; le type est attribué au moment où une valeur est assignée et peut voluer. Les types des variables (et des constantes) présentes dans une expreson déterminent la façon dont le calcul de cette expression sera conduit.

n peut forcer le type sous lequel une donnée interviendra par des fonctions de onversion ou par « casting ».

types qui existent sont booléen, entier, réel, chaîne de caractères, tableau et bjet.

nctions de conversion

te en chaîne : date(format, date à convertir)

onnée en chaîne formatée : printf(format, donnée)

eel en entier (arrondi) : ceil (par excès), floor (par défaut), round(nombre, nb de écimales).

sting

ne conversion par casting s'écrit (type) variable. Exemple : (int) $varchn. Les oms de type utilisables sont :

nt) ou (integer) : entier ; (bool) ou (boolean) : booléen ; (double), (float) ou eal) : réel double précision ; (array) : tableau ; (object) : objet.

terventions de la variable

ne variable intervient dans deux cas : soit on lui affecte une valeur, et alors le figure à gauche du signe = dans une instruction d'affectation (par exemple, n=36;), soit on l'utilise dans une expression, et alors elle figure à droite du signe et sa valeur n'est pas modifiée (par exemple, $prix=$pu * $qte;). La première fectation, *l'initialisation*, signale l'existence de la variable à l'interpréteur PHP.

Portée des variables

Une variable définie à l'intérieur d'une fonction est locale à cette dernière. Un
variable définie en dehors d'une fonction n'est pas connue dans la fonction sauf
elle fait l'objet d'une déclaration global. En l'absence de cette déclaration, si un
fonction utilise une variable de même nom qu'une variable définie à l'extérieu
PHP considérera qu'il y a deux variables différentes.

Les tableaux

Une variable tableau est le moyen de désigner un ensemble de valeurs sous u
nom collectif. Un tableau est un ensemble d'éléments, chaque élément étant un
association entre une clé ou indice et une valeur. La clé est soit un nombre, so
une chaîne de caractères (les deux peuvent être mélangées mais c'est déconseill

Une valeur individuelle est désignée par nomtableau[indice]. On peut initialise
plusieurs valeurs à l'aide de la fonction array, ou affecter les valeurs individuell
ment :

```
$pointM=array('x' => 7.5, 'y' => 3.2, 'z' => 5) ;
echo "L'ordonnée du point M est ".$pointM['y'] ;
$NomCli[5]='Dupont' ;
```

Une série d'affectations sans indices comme :

```
$t[ ]=... ;
$t[ ]=... ;
$t[ ]=... ; etc.
```

créera le tableau avec les éléments d'indices 0, 1, 2, *etc.* Si le tableau avait déjà de
éléments jusqu'à l'indice n, les nouveaux éléments s'installeront à partir de n+
Nous déconseillons les clés négatives, bien qu'elles soient permises.

Des éléments de tableau peuvent être eux-mêmes des tableaux, ce qui permet le
traitements de matrices.

La fonction print_r(tableau) affiche le tableau avec ses indices. À la suite c
l'exemple ci-dessus, print_r($pointM) affichera : Array([x] => 7.5 [y] => 3.2 [
=> 5) et print_r($NomCli) affichera Array([5] => Dupont).

Données prédéfinies

PHP manipule un certain nombre de variables et de tableaux prédéfinis très utile

GLOBALS['nom'] permet d'accéder à la variable $nom définie à l'extérieur des nctions, depuis l'intérieur de toute fonction. Dans $GLOBALS, le nom doit être urni sans le $ initial.

es suivants sont des tableaux dont la clé est un nom de variable manipulée par système. Les noms de tableaux que nous indiquons sont les noms PHP version ou ≥ 4.2 ; nous indiquons aussi les noms PHP version < 4.2 : ils nécessitent une éclaration global pour être utilisés dans une fonction contrairement aux noms HP 5.

- $_ENV : les variables d'environnement (PHP 4 : $HTTP_ENV_VARS). Exemple : $_ENV['REQUEST_METHOD'] = la méthode de transmission des données de formulaires.
- $_ENV['QUERY_STRING'] est la chaîne yyy si la page est appelée par l'URL xxxx?yyy ; c'est en particulier la chaîne de soumission avec la méthode GET.
- $_SERVER : les données du serveur (PHP 4 : $HTTP_SERVER_VARS) ; beaucoup de données sont communes avec $_ENV. Exemple : $_ SERVER['SERVER_ADDR'] = adresse IP du serveur.

  $_SERVER['REMOTE_ADDR'] = adresse IP du visiteur.

  $_POST : les données d'un formulaire transmises par la méthode POST (PHP 4 : $HTTP_POST_VARS). Si, dans un formulaire, vous avez un contrôle, par exemple <input name="Ville">, la valeur fournie par le visiteur sera récupérable par $_POST['Ville'].

  $_GET : même chose, mais si le formulaire utilise la méthode GET (PHP 4 : $HTTP_GET_VARS).

  $_COOKIE : les données de cookies (PHP 4 : $HTTP_COOKIE_VARS).

  $_FILES : les données de fichiers téléchargés en uploading (PHP 4 : $HTTP_ POST_FILES).

ıstructions d'affectation

instruction d'affectation est l'une des plus importantes dans tout langage de ogrammation. Elle est de la forme :

ıriable = expression ;

expression est calculée et le résultat est stocké dans la variable à gauche du gne =. Donc, sauf cas très rare, la valeur de la variable se trouve changée à la fin l'exécution de cette instruction. Au contraire, les variables qui figurent dans l'expression à droite du signe = sont simplement lues pour le calcul et, normalement, elles ne changent pas.

Le signe = ne dénote pas une égalité ; il doit plutôt se lire « prend la valeur Ceci explique une écriture telle que $n=$n+1; qu'on lira « nouvelle valeur de n ancienne valeur de n + 1 », ce qui revient à augmenter $n de 1. Une telle incrémentation peut aussi s'écrire $n+=1; ou $n++;.

Expressions

Une expression est l'indication d'un calcul à faire. Elle combine des opérateurs (qui indiquent les opérations à effectuer) et des opérandes (sur lesquels doivent porter les opérations). Les opérandes sont :

- ✓ des constantes ;
- ✓ des variables ;
- ✓ des appels de fonctions ;
- ✓ des sous-expressions.

Le dernier cas permet de constituer une expression aussi complexe que l'on veut. L'évaluation commence par le niveau de parenthèses le plus profond. Les opérateurs ont des priorités mais vous pouvez toujours forcer l'ordre que vous voulez avec des parenthèses ; n'hésitez pas à en utiliser même si elles sont inutiles (c'est-à-dire ne font que confirmer l'ordre impliqué par la priorité), si cela facilite votre compréhension.

Pour un appel de fonction, les arguments sont évalués, la fonction est exécutée et la valeur renvoyée par la fonction vient à l'emplacement de l'appel pour continuer le calcul.

Opérateurs

Les opérateurs arithmétiques sont (les traits séparent les niveaux de priorité) :

- ✓ - (unaire) prendre l'opposé, ! (non logique) et ~ (complément bit à bit)

- ✓ * (multiplication), / (division) et % (modulo : $a%$b est le reste de la division $a/$b)

- ✓ + (addition, union de tableaux), – (soustraction) et . (concaténation de chaînes).

əs opérateurs logiques et de comparaison seront vus avec l'instruction if. Il n'y a ıs d'opérateur « puissance » : utilisez la fonction pow(nombre,puissance).

les deux opérandes d'une opération arithmétique sont de même type, l'opéra- on est effectuée dans ce type mais une division d'entiers donne un résultat réel il y a lieu.

:ho 5/3 ; (donne 1.666…7)

:ho (int)5/3 ; (donne le même résultat car seul 5 est converti – donc inchangé –, casting ayant priorité sur la division)

:ho (int)(5/3) ; (donne 1 ; là, on a le quotient entier).

ɔérateurs bit à bit (sur les représentations binaires)

côté de ~ qui prend le complément (1 devient 0, 0 devient 1), les opérateurs &, et ^ opèrent bit à bit pour effectuer les et, ou, ou exclusif. << et >> décalent à uche/droite, donc multiplient/divisent par 2 un nombre de fois égal au deuxième ɔérande. Soit $a=12 (00…01100), $b=10 (1010) et $c=2 ; on a :

$a→-13 (11....10011), $a&$b→8 (1000), $a|$b→14 (1110), $a^$b→6 (0110),

ı<<$c→48 (00...0110000) et $a>>$c→3 (00...000011).

ttention : dans d'autres langages, ^ est l'opérateur « puissance » ; ce n'est pas le s en PHP.

ɔmbinaisons avec affectation

signe = d'une affectation est considéré comme un opérateur. $a=5 est une ‹pression dont le résultat est 5, donc $b=$a=5; affecte la valeur 5 à $a puis aussi $b. On peut même écrire $b=($a=4)+5; ($a vaudra 4, et $b vaudra 9), mais oubliez pas qu'en programmation, les astuces peuvent faire perdre du temps au u d'en faire gagner.

fectations combinées

nstruction variable op= expression équivaut à variable = variable op expression p étant n'importe quel opérateur agissant sur deux opérandes). Cela abrège les ritures et améliore la lisibilité. Ainsi, $n+=3; ajoute 3 à $n, $d/=5; divise $d par 5.

crémentation/décrémentation

ı++ et ++$n incrémentent (ajoutent 1 à) la variable $n, $n-- et --$n la décré- entent. Donc, pour ajouter 1 à $n, nous avons quatre possibilités : $n=$n+1; ı+=1; $n++; et ++$n;. Si les signes sont après la variable, il y a post-(in/dé)cré- entation, donc la variable est modifiée après avoir été utilisée dans l'expression ;

s'ils sont avant, il y a pré-(in/dé)crémentation, donc la variable est modifiée e c'est la valeur modifiée qui est utilisée.

Soit $a=5;. Après $b=$a++; $b vaut 5 (affectée avant que $a ait été incrémenté et $a vaut 6 ; on fait ensuite $c=++$a;. $c et $a valent 7.

Structuration des programmes

La programmation structurée démontre que tout traitement, aussi complexe soit-il, est la combinaison de trois structures fondamentales qu'on peut imbrique à volonté : la séquence où les instructions s'exécutent dans l'ordre où elles so écrites, l'alternative où selon une condition, on exécute une séquence ou un autre, et l'itérative où une séquence est répétée tant qu'une condition de cont nuation est vraie.

En outre, le traitement peut être décomposé en routines qui effectuent une tâch bien définie, chacune étant confiée à une fonction.

Instructions séquentielles

Nous avons vu l'instruction séquentielle la plus importante, l'affectation arithm tique. Une autre très importante est l'appel d'une fonction ; cet appel consis simplement à citer le nom de la fonction en fournissant les arguments voulus da les parenthèses. Nous verrons plus loin Include et les instructions de gestion d fichiers.

Fonctions

La première façon de structurer un programme consiste à le décomposer e traitements bien caractérisables et éventuellement réutilisables. Certains langag distinguent pour cela les procédures et les fonctions ; les deux effectuent certai traitements, mais, en plus, une fonction renvoie un résultat sous son nom et, elle est appelée au sein d'une expression, ce résultat est utilisé pour la poursui du calcul de l'expression.

Comme les langages inspirés par C, PHP ne possède que les fonctions ; mais ce n'empêche pas de profiter de ces deux types de fonctions :

- ✓ **Les fonctions « fonction ».** En plus des traitements, toute exécution de la fonction se termine par une instruction return expression; qui crée le résultat à renvoyer ; l'appel se fait à l'intérieur d'une expression arithmétiq
- ✓ **Les fonctions « procédure ».** Il n'y a pas d'instruction return et l'appel se fait par simple citation du nom de la fonction : nomfonction(arguments);.

éfinition de la fonction

mplantation d'une fonction se fait en deux temps : la définition et un ou plu-
eurs appels. Ainsi, on pourrait avoir :

```
1 instruction;
2 instruction;
3 function f() {  // début de la définition
4 instr ;
5 instr ;
6 }               // fin de la définition
7 instruction;
8 f();            // appel
```

n voit que les instructions (4 et 5) de la fonction doivent former un bloc entre
colades. En outre, la définition doit figurer avant tout appel.

rsque l'interpréteur PHP est sur la définition d'une fonction, il considère toutes
s instructions comme non exécutables et il les met en réserve. Ce n'est qu'en
action à un appel de la fonction qu'il les exécutera.

s arguments

en sûr, la fonction utilise des données. On a vu ci-dessus que, à côté de variables
cales, la fonction peut accéder à des variables extérieures, soit à l'aide d'une
claration global $a;, soit en écrivant $GLOBALS['a'].

ne autre manière est de fournir des arguments à la fonction. On écrira par
emple :

```
function somcar($a,$b) {
 return $a*$a+$b*$b ;
}
```

n appel tel que somcar(3,4) aura pour résultat 25. Dans la définition, les argu-
ents doivent être sous forme de variables. Dans l'appel, ils peuvent être sous
forme de n'importe quelle expression : chaque expression est calculée et le
sultat est copié dans l'argument pour être utilisé. C'est l'ordre des arguments
i fixe la correspondance, et non leur nom. Si la fonction n'a pas d'arguments, il
ut un couple de parenthèses vides dans la définition et dans l'appel.

odification des arguments

ans l'exemple (*modif1.php*) :

```
function f($a){
  $a*=2;
  echo "<br />f ".$a;
}
$a=3;
echo "<br />".$a;
f($a);
echo "<br />".$a;
```

Les écritures donnent 3, f 6 et 3, ce qui montre que la modification de la variab
$a n'a pas été répercutée dans le programme appelant.

Écrivez maintenant (*modif2.php*) :

```
function f($a){
  $a*=2;
  echo "<br />f ".$a;
}
$a=3;
echo "<br />".$a;
f(&$a);
echo "<br />".$a;
f($a);
echo "<br />".$a;
```

Les résultats sont 3, f 6, 6, f 12 et 6. Donc le doublement a été répercuté lors
premier appel (qui a &$a), mais pas lors du second. On dit que le premier appel
transmis l'argument par référence.

Écrivez cette fois (*modif3.php*) :

```
function f(&$a){
  $a*=2;
  echo "<br />f ".$a;
}
$a=3;
echo "<br />".$a;
f($a);
echo "<br />".$a;
f($a);
echo "<br />".$a;
```

Les résultats sont 3, f 6, 6, f 12 et 12. Quand le signe & (opérateur « référence ») précède l'argument dans la définition de la fonction, toutes les transmissions se font par référence et les modifications sont répercutées. Dans ce cas, qui est le plus utile, le signe & n'a pas à être utilisé dans l'appel.

Récursivité

Bien sûr, une fonction peut en appeler une autre, mais la définition d'une fonction ne peut pas contenir la définition d'une autre fonction.

Une fonction peut s'appeler elle-même, c'est la *récursivité*. Cet appel doit être dans une structure alternative pour que la série des appels récursifs puisse se terminer. Voici une fonction de calcul de factorielle uniquement à titre d'exemple car cela n'est pas très utile dans une page Web :

```
function fact($n) {
  return ($n>1)? $n*fact($n-1): 1;
}
```

echo fact(170); donne 7.25...E+306 alors que echo fact(171); donne INF (dépassement de capacité).

Structures alternatives

Les constructions alternatives offertes par PHP sont if, switch et l'opérateur ternaire (condition) ? expr1 : expr2. Voici un calcul de la valeur absolue d'un nombre à titre d'exemple de cet opérateur : $vabs=($n>=0) ? $n : -$n;. Il faut noter que seule l'expression utile est évaluée. Donc, dans $moy=($n!=0)?$s/$n : 'n/a'; il n'y aura pas d'erreur « division par 0 » comme dans d'autres langages.

If

If offre une alternative à deux branches. Elle a deux formes :

Sans else

```
if (condition) {
   séquence 1
}
suite
```

Si la condition est vraie, on effectue la séquence 1 puis la suite ; si elle est fausse, on passe immédiatement à la suite.

avec else

```
if (condition) {
   séquence 1
}else{
   séquence 2
}
suite
```

Si la condition est vraie, on effectue la séquence 1 puis la suite ; si elle est fausse, on effectue la séquence 2 puis la suite.

Coup de loupe

Nous conseillons instamment d'utiliser la présentation vue ci-dessus car c'est la plus claire, même si ce n'est pas la plus courte. Évitez une forme abrégée comme if ($a<0) $a=-$a; où seule l'instruction $a=-$a dépend de la condition. Avec les accolades, il n'y a pas de risque d'ambiguïté.

De plus, vous devez utiliser les indentations : if, }else{ et } final doivent être alignés tandis que les instructions de séquences 1 et 2 doivent être en retrait. Si une des séquences contient une autre structure, les retraits s'ajoutent, montrant clairement la structure du programme.

Coup de main

Pour implanter une telle structure, tapez :

```
if (condition) {
ligne blanche
}else{
ligne blanche
}
```

puis tapez les instructions aux emplacements des lignes blanches.

Il existe aussi une forme avec elseif, mais il est plus conforme à la programmation structurée d'imbriquer des if complets dans les blocs d'un if extérieur.

```
if (c1){
  i1;          // exécutée si c1 vraie
}else{
  if (c2){
    i2;        // exécutée si c1 fausse mais c2 vraie
  }else{
    i3;        // exécutée si ni c1, ni c2 vraies
  }
}
```

es conditions

)ans les langages inspirés par C, toute condition est présentée entre parenthèses.

Jne condition est une expression que PHP est capable d'évaluer comme vraie ou ausse. Certaines conditions simples peuvent être combinées avec les opérateurs ogiques pour former des conditions composées.

;onditions simples

omparaisons

.a forme la plus élémentaire est expr1 opcomp expr2. Exemples : if $NomCli=='Dupont') { ou if (2*$a+5<=36) {...

)ans le premier exemple, remarquez le double signe = pour tester l'égalité. Dans e deuxième exemple, on a exploité le fait que les opérateurs arithmétiques sont lus prioritaires que les opérateurs de comparaison, mais si vous avez un doute, 'ous pouvez écrire if ((2*$a+5)<=36) {.... Dans tous les cas, il faut les parenthèses xternes de la condition.

pérateurs de comparaison

.es opérateurs < (inférieur), <= (inférieur ou égal), > (supérieur), >= (supérieur u égal), != (différent) sont classiques. Pour des tableaux, différent s'écrit <> (emrunté à Basic).

Coup de loupe

L'égalité s'écrit == (double =), comme en JavaScript, ce qui est la source d'innombrables confusions pour les programmeurs habitués à d'autres langages. Le problème est que si vous écrivez if ($a=3) au lieu de if ($a==3), PHP affectera la valeur 3 à la variable et considérera toujours la condition comme vraie (la valeur de $a=3 est différente de 0, donc considérée comme vraie, convertie en logique). Si la comparaison se fait par rapport à la valeur 0, PHP trouvera toujours Faux parce que 0 converti en booléen est considéré comme faux. Avec :

```
$a=0;
if ($a=3) {
  echo 'égal';
}else{
  echo 'différent';
}
```

l'affichage sera « égal », ce qui est erroné. Si vous écrivez if ($a=0), l'affichage sera « différent », ce qui est tout autant erroné. Vérifiez que la vérité est rétablie en corrigeant avec un double signe égale. Il faut if ($a==3) ou if ($a==0).

Maintenant, il y a aussi un triple signe égale === qui veut dire « identique » e son contraire !==. Soit les deux variables $a=5; et $b='5';. Elles ne contiennen pas la même chose. $a contient le nombre 5, soit en binaire 00…00000101 ; $b contient le caractère chiffre 5, soit en binaire 0011010100000000. C'est d'ailleur une différence que les informaticiens débutants ont du mal à comprendre : $a contient une représentation de la quantité 5, tandis que $b contient pour ains dire une représentation (très indirecte) du dessin du chiffre 5. Eh bien, PHP fai un pas en direction des débutants. Puisque c'est le même nombre, bien qu'il soi représenté différemment, en PHP, $a==$b donne vrai ; ce n'est pas le cas dan beaucoup d'autres langages qui fondent leurs comparaisons sur le contenu binair des mémoires. Comme il faut tout de même avoir une comparaison sur les re présentations elles-mêmes, PHP a introduit l'opérateur ===. Si a$===b$ est vra c'est que les contenus binaires des deux variables sont identiques (avec les valeur ci-dessus, c'est a$!==b$ qui est vrai).

Fonctions de test

Certaines fonctions ont une valeur vrai ou faux selon l'état de leur argument. E voici quelques-unes.

file_exists(désignfich)	vraie si le fichier désigné existe
is_finite(expr)	vraie si l'expression est finie
is_infinite(expr)	vraie si l'expression est infinie
is_nan(expr)	vraie si l'expression n'est pas calculable (acos(2)).
isset(variable)	vraie si la variable est définie
empty(variable)	vraie si la variable n'est pas définie ou est une chaîne ou un tableau vide

Pour une variable définie isset(variable) est vrai ; empty(variable) peut être vrai aussi (et l'est toujours si la variable est indéfinie). Pour afficher l'état de la variable dans tous les cas, écrivez :

```
echo ( !isset($a)) ? "Indéfinie" :((empty($a) ?
"Vide" :$a) ;
```

Pour restituer l'espace mémoire occupé par une variable, on la rend indéfinie par :

unset($a);.

Conditions composées

Des conditions simples peuvent être combinées avec les opérateurs logiques :

!	contraire (!($a>$b)) est ($a<=$b)
&& ou and	ET (vrai si les deux composantes le sont)
|| ou or	OU (vrai dès que l'une des deux composantes est vraie : si la première est vraie, la deuxième n'est pas évaluée)
xor	OU exclusif (vrai si une des composantes est vraie mais pas les deux)

Ne confondez pas && et || avec & et | qui agissent bit à bit sur les motifs binaires. Les opérateurs logiques agissent sur des conditions. && et and, || et or effectuent la même opération mais n'ont pas le même niveau de priorité.

Il n'y a pas de manière directe pour exprimer la relation « compris entre ». Il faut écrire, par exemple, if ($a>36 && $a<=2*$b-10) {…

Il n'est pas utile d'avoir plus de parenthèses car les opérateurs arithmétiques ont priorité sur les opérateurs de comparaison, lesquels ont priorité sur les opérateurs logiques. Ajoutez des parenthèses si cela vous semble plus clair.

Switch

Switch permet des alternatives à plusieurs branches. Elle est de la forme :

```
switch (expression) {
case valeur1 :
  instructions 1 ;
case valeur2 :
  instructions 2 ;
....
case valeur n :
  instructions n ;
default :
  instructions d ;
}
```

L'expression et les valeurs peuvent être numériques ou alphanumériques.

valeur1, valeur2, *etc.*, peuvent être des expressions. L'ensemble default : et les instructions correspondantes peuvent être absents. On commence par le calcul de l'expression du switch. Le résultat est comparé successivement aux valeurs des case. Si aucune égalité n'est trouvée, on exécute les instructions de default, à condition que la clause soit présente ; sinon, on n'exécute rien.

Si une égalité est trouvée, par exemple avec valeur p, on exécute les instructions p. S'il y a des break, ce qui est le cas normal, on n'effectue que les instructions du case trouvé. S'il n'y a aucun break, on effectue aussi toutes les instructions qui suivent.

Coup de main

Nous recommandons de toujours utiliser break ; seule la dernière séquence n'en a pas besoin.

Structures itératives

Une structure itérative (ou boucle) fait répéter un bloc d'instructions tant qu'une condition de continuation est vraie ou qu'une condition d'arrêt n'est pas atteinte

Le bloc peut contenir des alternatives ou d'autres itératives : on parle de *boucles imbriquées*.

While

De la forme :

```
while (condition) {
   instructions ;
}
```

fait répéter les instructions indiquées tant que la condition est vraie. Les instructions doivent faire évoluer la condition pour que la boucle ait des chances de s'arrêter.

Les hébergeurs détestent les boucles infinies. C'est pour cela que les scripts PHP ont une limite de durée d'exécution.

Dans cette forme, le test de la condition a lieu au début de chaque itération. Si la condition est fausse (donc la condition d'arrêt est déjà atteinte), lorsqu'on arrivera sur le while, aucune itération ne sera effectuée.

```
$n=1 ;
while ($n<=10){
   echo "<br />\n".$n++ ;
}
```

écrit les dix premiers nombres. À la sortie de la boucle, $n vaut 11.

La structure :

```
do {
   instructions ;
} while (condition) ;
```

est à peu près équivalente. Il y a deux différences :

- ✓ Le test est effectué en fin d'itération. Donc, si la condition d'arrêt est déjà réalisée lorsqu'on entre dans la boucle, une itération sera effectuée, quoi qu'il arrive.

✓ Il peut y avoir dans les instructions à répéter une instruction break; qui fait quitter la boucle sous certaines conditions.

For

Cette structure est très fréquemment utilisée. Elle fait intervenir une variable qui accompagne les itérations et est utilisée pour définir la condition d'arrêt. Elle contient généralement le numéro d'itération où on en est. Elle est de la forme :

```
for (initialisation ; condition ; incrémentation){
    instructions à répéter ;
}
```

Dans les parenthèses qui suivent for, se trouvent les instructions qui gèrent la variable d'accompagnement ; il peut y avoir d'autres actions, mais il est plus lisible de ne pas le faire. Voici d'abord l'exact équivalent de l'exemple des dix premiers nombres précédent :

```
for ($n=1 ;$n<=10 ;$n++){
  echo "<br />\n".$n;
}
```

Il y a cependant une différence : for effectue le test en fin d'itération, donc une itération est effectuée quoi qu'il arrive. Ce serait par exemple le cas avec :

```
for ($i=10 ;$i<5 ;$i++)...
```

Écriture et sommation des nombres pairs de 10 à 2 (en descendant) :

```
$s=0 ;
for ($n=10;$n>=2;$n-=2) {
  echo "<br />\n".$n;
}
echo "  ".$s;
```

On peut remplacer les quatre premières lignes par :

```
for ($n=10,$s=0;$n>=2;$s+=$n,$n-=2){echo "<br />\n".$n;}
```

Cela s'appelle un *one-liner*. Certains programmeurs (surtout en langage C) s'amusent à en écrire, mais c'est à éviter, car cela produit des codes quasiment incompréhensibles.

Moyenne des éléments d'un tableau :

```
$t=array(18, 15, 22, 35, 2) ;
for ($i=0,$s=0 ;$i<count($t) ;$i++){
  $s+=$t[$i];
}
echo "<br />".$s/count($t);
```

Terminaison du programme

Normalement, un programme se termine naturellement lorsqu'on arrive à la fin du fichier. Il existe toutefois une instruction exit qui force la terminaison d'un programme de la même façon que return fait quitter une fonction pour revenir à l'appelant. exit peut s'employer tout court, mais le plus souvent avec un argument qui joue le rôle d'un code d'erreur s'il est numérique, ou d'un message d'erreur qui sera affiché si c'est une chaîne. Étant donné une fonction qui est susceptible de produire une erreur, par exemple une ouverture de fichier, on pourra écrire :

```
$fn='désignfichier';
$fichier=fopen($fn, "r")
    or exit("Impossible d'ouvrir le fichier".$fn);
```

Comment cela fonctionne-t-il ? Si l'ouverture est possible, le résultat de fopen est la valeur booléenne Vrai ; à ce moment, le deuxième opérande du or n'est pas évalué, puisque le premier opérande suffit pour conclure que le résultat du or sera Vrai. Donc exit n'est pas exécutée. Au contraire, si l'ouverture s'est mal passée, le résultat de fopen est la valeur booléenne Faux ; donc il faut évaluer le deuxième opérande et exit est exécutée.

Renvoi à une page

Une autre manière de terminer un programme est d'appeler une autre page Web par header('Location: URL'); (par exemple, header('Location: nourr.htm');) ou bien par echo "<script>location.href='nourr.htm'</script>";. header exige qu'il n'y ait eu aucune écriture avant elle ; script ne marche pas si JavaScript est désactivé.

Chaînes de caractères et tableaux

Variable incorporée dans une chaîne

Nous avons déjà vu qu'une chaîne de caractères se définit, au choix, entre " ou ' Mais que se passe t-il si on incorpore une variable entre les " ou les ' ?

Soit $a="madame";

echo "Bonjour $a"; affiche Bonjour madame tandis que echo 'Bonjour $a'; affiche Bonjour $a, ce qui est plus normal ou, du moins, plus semblable à ce que font les autres langages.

Quoi qu'il en soit, nous couperons court à tout problème en nous engageant à ne procéder que par concaténation. "Bonjour ".$a et 'Bonjour '.$a donnent toujours le même résultat Bonjour madame.

Opérations sur les chaînes

La seule opération qui existe sur les chaînes de caractères est la concaténation (mise bout à bout). L'opérateur est le . (point). Ce n'est ni +, ni &. Comme pour tous les opérateurs dyadiques, $a.=$b; est équivalent à $a=$a.$b;. La chaîne vide "" ou '' est l'élément neutre de cette opération. Pour construire une chaîne complexe par concaténations successives, on l'initialise à chaîne vide ; de même, pour calculer une somme par additions successives, on l'initialise à 0.

Conversions

Conversions vers chaîne

Il y a conversion automatique chaque fois que la situation l'exige, donc dans echo print ou avec une concaténation. Même une constante est convertie avec echo ou print, mais pas avec une concaténation (il y a alors un message d'erreur).

Avec $a=2; echo "1".$a; donne 12 ; echo "1".2 donne erreur.

On peut de toutes façons forcer la conversion avec la fonction strval(nombre) ou par casting avec (string).

La conversion du booléen Vrai donne le nombre 1 tandis que Faux donne chaîne vide. Pour avoir un résultat plus explicite, utilisez var_dump(expression) qui donnera bool(true) ou bool(false).

Conversions de chaîne en nombre

Il y a conversion automatique vers numérique si la situation l'exige, notamment dans une expression arithmétique. La chaîne est analysée depuis son début et on s'arrête au premier caractère qui ne peut faire partie d'un nombre : "10.23xxx50" sera considéré comme 10.23. Si, dès le début, il y a des caractères impossibles, la valeur prise en compte sera 0.

On peut de toutes façons forcer la conversion par casting avec (int) ou (float).

Pour convertir du code en une chaîne de un caractère, on a les fonctions ord et chr : ord("A") vaut 65, chr(66) est le caractère B.

Fonctions chaînes

Les fonctions chaînes sont innombrables (nous nous bornons à un choix) et beaucoup sont très utiles comme nous le verrons. Pour comprendre leurs arguments, il faut se rappeler que les caractères d'une chaîne sont numérotés de gauche à droite en commençant à 0 ; il est très utile de faire un schéma du genre :

0	1	2	3	4	5	6	7	8	9	10
A	B	R	A	C	A	D	A	B	R	A

Le dernier caractère a pour numéro longueur-1.

Dans ce qui suit, ch1 et ch2 représentent des chaînes, n1 et n2, des nombres, car, une chaîne de un seul caractère. N'oubliez pas leur $ s'ils sont sous forme de variables. Les fonctions les plus importantes sont en gras. Les arguments en italique sont facultatifs.

Fonctions de caractérisation

count_chars(chaîne)	Renvoie le nombre de caractères de chaque sorte présents dans chaîne.
levenshtein(ch1,ch2)	Fournit une idée de la différence entre les deux chaînes : nombre de suppressions, insertions et modifications pour passer de l'une à l'autre.

strcmp(ch1,ch2)	Fournit un résultat <0, =0 ou >0 selon que ch1 <, = ou > ch2 (sensible à la casse). Fonctions analogues :	
	strcasecmp	Insensible à la casse.
	strnatcmp	Comparaison « naturelle » : x1<x2<x10 alors que strcmp donne x1<x10<x2.
	strnatcase	Comparaison naturelle et insensible à la casse.
strlen(ch)	Longueur (= nombre de caractères) de ch.	
substr_count(ch,ssch)	Donne le nombre d'occurrences de ssch dans ch.	
str_word_count(ch)	Donne le nombre de mots de ch.	

Fonctions de recherche

strpos(ch, ssch, *d*)	Donne la première position où commence la sous-chaîne ssch dans ch. d est la position de départ de la recherche (défaut 0=début de ch). Si ssch n'est pas présente, le résultat est négatif, d'où un test de présence ou d'absence. Dans l'exemple du schéma ci-dessus, strpos('ABRACADABRA', 'BRA') donne 1, strpos('ABRACADABRA','BRA',3) donne 8. Fonctions analogues :	
	stripos[1]	Insensible à la casse.
	strripos[1]	Trouve la dernière occurrence, insensible à la casse.
	strrpos	Trouve la première occurrence, sensible à la casse. Attention, en PHP 4, ssch a un seul caractère ; en PHP 5, elle peut en avoir plusieurs.

[1] PHP 5 seulement.

Fonctions de remplacement

str_replace(ssch,ssremp,ch)	Fournit une chaîne à partir de ch dans laquelle les occurrences de ssch sont remplacées par ssremp. ssch et ssremp peuvent être deux tableaux en correspondance. En PHP 5, un argument supplémentaire facultatif à fournir par référence (&$n) reçoit le nombre de remplacements effectués. Fonction analogue :
str_ireplace[1]	Insensible à la casse.
substr_replace(ch,ssremp,*p*,*n*)	Fournit une chaîne à partir de ch dans laquelle les n caractères à partir de la position p sont remplacés par ssremp. Expérimentez les cas où les arguments facultatifs sont négatifs ou omis.
strtr(ch,ssch,ssremp)	Remplace dans ch les caractères de ssch par les caractères corespondants de ssremp. strtr('ajoût','û','u')→ajout.

[1] PHP 5 seulement.

Fonctions d'extraction

strstr(ch,car)	Renvoie la chaîne extraite de ch depuis la première occurrence du caractère car jusqu'à la fin. Autre nom : strchr. Fonction analogue :
strrchr	Se fonde sur la dernière occurrence de car (qui peut avoir plusieurs caractères).

substr(ch,d,*n*)	Renvoie la sous-chaîne de ch qui commence à la position d. L'extrait aura n caractères ; si n n'est pas spécifié ou est plus grand que le nombre de caractères restants, l'extrait ira jusqu'à la fin de ch. Si d est négatif, l'extrait commencera au |d|ième caractère à partir de la droite (le dernier a d=-1) et on prendra n caractères en allant vers la droite. substr('abcdef",2)→cdef substr('abcdef',1,3) →bcd substr('abcdef',1,8) →bcdef substr('abcdef',-3,2) →de substr('abcdef',0,2) →ab

Exemple : la chaîne $c contient un nombre entier entre deux virgules (par exemple ABRACA,36,DABRA) ; récupérez sa valeur dans la variable $n.

```
$p1=strpos($c,',')+1; //$p1=position de la 1ère virgule +1
                      //donc début du nombre
$p2=strpos($c,',',$p1); //$p2= position de la 2e virgule
$n=(int)substr($c,$p1,$p2-$p1); //$p2-$p1=longueur du nb
```

Fonctions de construction/décomposition

explode(car,ch,*n*)	Suppose que ch est un texte formé d'éléments séparés par le caractère car. On obtient un tableau de chaînes qui sont les éléments. Si n est fourni, on obtient les n-1 premiers éléments, le dernier élément du tableau est le reste de ch. Si car est la chaîne vide, on obtient le tableau des caractères de ch. Avec $x=explode(',','Pomme,Poire,Scoubidou') ; $x[2] sera 'Scoubidou'.
implode(car,tableau)	Est l'inverse de explode ; on obtient la chaîne formée des éléments du tableau séparés par le caractère car.

str_pad(ch,n,ssch,type)	Complète la chaîne ch en répétant la sous-chaîne (le plus souvent 1 caractère) jusqu'à obtenir la longueur n. Si ssch est omise, on utilise espace. type est STR_PAD_RIGHT (le défaut), STR_PAD_LEFT ou STR_PAD_BOTH.
str_repeat(ch,n)	Fournit la chaîne formée de n fois ch, chaîne vide si n=0.
str_shuffle(ch)	Fournit une permutation des caractères de ch.
str_split(ch,*n*[1]	Fournit un tableau des sous-chaînes de longueur n extraites de ch. Si n est omis, les éléments ont un seul caractère, donc str_split(ch) est identique à explode('',ch).
strtok(ch,sep)	sep est une liste de séparateurs décomposant une chaîne ch en segments. Le premier appel a les deux arguments et il fournit le premier segment. Les appels suivants fournissent les segments suivants et ils n'ont pas l'argument ch.

[1] PHP 5 seulement.

Fonctions de transformation

addslashes(ch)	Copie ch en insérant un \ devant ',",\ et le caractère NUL, donc, comme on dit, « échappe » ces caractères.	
stripslashes(ch)	Inverse de la précédente. Si la réponse à un élément de formulaire contient ',″ ou \, le système ajoute un \ devant dans la chaîne récupérée par $_POST[ ] ou méthodes analogues. Il faut donc utiliser stripslashes pour obtenir le texte exactement comme il a été tapé par le visiteur.	
ltrim(ch,liste)	Supprime à gauche de ch les caractères de liste. Si liste n'est pas fournie, on supprime espace, tabulation \t, nouvelle ligne \n, retour-chariot \r, tabulation verticale \x0B et caractère nul \0. Fonctions analogues :	
	rtrim	Agit à droite.
	trim	Agit à gauche et à droite.

nl2br(ch)	Copie ch en insérant devant tout caractère \n (nouvelle ligne) de ch. Remarquez que c'est la balise compatible avec XHTML qui est insérée depuis PHP 4.0.5.
strrev(ch)	Fournit la chaîne renversée de ch. Si elle est identique à ch, c'est que ch est un palindrome.
strtolower(ch)	Renvoie ch avec toutes les lettres minuscules.
strtoupper(ch)	Renvoie ch avec toutes les lettres majuscules.
ucfirst(ch)	Renvoie ch avec la première lettre majuscule.
ucwords(ch)	Renvoie ch avec les initiales des mots majuscules.

Fonctions de conversion

chr(n)	Le caractère dont le code est le nombre n.
ord(car)	Code du caractère car.
strval(n)	Convertit le nombre n en chaîne.

Fonctions d'impression et formatage

echo ch	Transfère la chaîne ch sur la sortie standard, ce qui l'envoie vers le navigateur.
fprintf(ressource,format,args)	Comme printf, mais envoie les données dans le flot (fichier) correspondant à la ressource. Le résultat de la fonction est la longueur de la chaîne produite.
number_format(n,d,p,m)	Formate le nombre n avec d décimales (défaut 0). Si fournis (ils doivent l'être ensemble), p est le séparateur décimal et m le séparateur de milliers.
print ch	Transfère la chaîne ch sur la sortie standard, ce qui l'envoie vers le navigateur.
printf(format,args)	Affiche les arguments args conformément au format (voir sprintf).

sprintf(format,args)	Fournit une chaîne qui représente les arguments args conformément au format. Le format est formé de caractères qui seront simplement copiés et parmi lesquels sont intercalées des spécifications de conversions, une pour chaque argument. Une spécification de conversion est formée du signe %, suivi optionnellement de . et le nombre de décimales voulues (pour un flottant), puis de la lettre spécifiant le type : b entier binaire ; c caractère dont l'argument est le code ; d entier signé ; u entier non signé ; f ou F flottant ; e flottant en notation scientifique ; o octal ; s chaîne de caractères ; x ou X hexadécimal.
sscanf(ch,format)	Inverse de sprintf, fournit en tableau les valeurs extraites de ch conformément au format.
print_r	Sera vue à propos des tableaux.

Conversions HTML

htmlentities(ch)	Traduit tous les caractères de ch en entités HTML.
htmlspecialchars(ch)	Traduit seulement &," < et >.

Pour ces deux fonctions, les balises de la chaîne traduite seront sans effet sur le navigateur ; elles seront affichées dans la page Web.

html_entity_decode(ch)	Fait la transformation inverse.

urlencode(ch)	Transforme dans ch les caractères spéciaux en %xx (par exemple, espace=%20) utilisés dans les URL et les chaînes de soumission GET.
urldecode(ch)	Fait la transformation inverse dans une QUERY_STRING.

Expressions rationnelles ou régulières

Les expressions rationnelles ou régulières permettent de créer des masques avec lesquels on peut tester la concordance d'une chaîne ou d'une sous-chaîne. On les appelle *profils* (*patterns* en anglais). Un masque est formé de caractères spéciaux qui ont un rôle défini et de caractères ordinaires qu'on appelle *littéraux* (qui doivent figurer en tant que tels dans le masque). Pour qu'un caractère spécial soit traité comme littéral, il faut le précéder de \. Voici les principaux caractères spéciaux.

Caractère	Rôle	Exemple
^	Début de ligne	^B
$	Fin de ligne	s$
.	N'importe quel caractère	jo.e
?	Rend facultatif le caractère précédent	marine?s
(...)	Groupe de caractères littéraux obligatoires	mar(ine)s
[...]	Ensemble de caractères facultatifs	marin[es]
[!]	Ensemble de caractères qui ne doivent pas correspondre	marin[!es]
-	Intervalle de caractères	l[a-o]pin
+	Une ou plusieurs occurrences du caractère précédent	alpha[1-5]+
*	0 ou plusieurs occurrences du caractère précédent	alpha[1-5]*
{ , }	nombres de répétitions	[0-9]{2,3}
\	Annonce un littéral	ab\+

Caractère	Rôle	Exemple
(| |)	Choix de possibilités	(Jules|Jim)

ereg(masque,ch) donne Vrai si ch concorde avec le masque.

Exemples :

ereg("^<.+>$",$ch) vérifie si $ch est une balise.

ereg("^[A-Za-z]+$",$ch) vérifie que $ch ne contient que des lettres.

Quelques informations sur les dates

PHP stocke une date en interne sous la forme du nombre de secondes écoulées depuis le 1er janvier 1970 jusqu'à cette date. On appelle cela un *nombre-date-heure* (*time serial* ou *timestamp*).

Pour former le nombre-date correspondant à une date connue par ses composantes (jour, mois, année, h, m, s), vous écrivez :

$nbd=mktime(heure,minute,seconde,mois,jour,année) ;

Tous les arguments sont facultatifs, mais à omettre de droite à gauche ; les arguments omis sont pris dans la date actuelle.

mktime(12,0,0,5,20,1944) vaut -808408800 (le 20 mai 1944 à midi).

mktime(12,0,0) vaut 1199530800 (le jour de l'écriture de cette page, à midi).

mktime() vaut 1199548490 (le même jour, à l'instant d'exécution).

Un instant plus tard, on obtient ...585, donc il s'était écoulé 95 secondes.

time() est la même chose que mktime sans argument.

Pour calculer le nombre-date-heure correspondant à un nombre-date-heure décalé d'une certaine période, on ajoute déc-secondes+60*(déc-minutes+60*(déc-heures+24*(déc-jours+30*(déc-mois+12*déc-années)))). C'est approximatif pour les mois et les années.

Pour formater une date en clair, on utilise :

date(format,nbd)

Cela formate la date nbd (par défaut : la date actuelle). La chaîne format contient des lettres qui définissent les éléments à indiquer dans le résultat et des caractères de séparation comme / , : ou - . Le tableau suivant cite les principales lettres.

Lettre	Rôle
D	Jour de la semaine en trois lettres (anglais) : Mon à Sun
j	Jour du mois : 1 à 31
w	N° de jour dans la semaine : 0=dimanche à 6=samedi
z	Jour dans l'année : 0 à 365
W	N° de la semaine dans l'année :
m	N° de mois sur 2 ch. : 01 à 12
M	Mois sur 3 lettres (anglais) : Jan à Dec
n	N° de mois : 1 à 12
Y	Année sur quatre chiffres, par exemple 2008
y	Année sur deux chiffres, par exemple 08
h	Heure : 01 à 12
H	Heure : 00 à 23
i	Minutes : 00 à 59
s	Secondes : 00 à 59

Quelques exemples

La date actuelle en format simplifié : echo date("d/m/y"); (par exemple) 05/01/08

Autre forme : echo date("j-n-Y"); 5-1-2008.

Nous voulons obtenir ...heures, ...minutes. Le problème est que toutes les lettre de heures et minutes ont une signification de format. On va donc les « échapper » avec \. Reste que \n, \t et \r produisent une nouvelle ligne, une tabulation et un retour chariot. La solution est de présenter la chaîne de format entre apostrophe au lieu des guillemets : echo date('H \h\e\u\r\e\s, i \m\i\n\u\t\e\s');. Autre solution

```
echo date("H")." heures, ".date("i")." minutes";
```

ompléments sur les tableaux

pérateurs sur les tableaux

n sait qu'un tableau est un ensemble de couples clé-valeur. Étant donné deux ableaux $a et $b, **$a+$b** est l'union (au sens de la théorie des ensembles) des eux tableaux.

i les deux tableaux ont des clés communes, elles ne seront pas en double dans le ableau résultant. La valeur sera celle du premier tableau.

```
$a=array(5=>"azer", 3=>"wxcv");
$b=array(3=>"iuytr", 4=>'bvc');
$c=$a+$b;
print_r ($c);
```

ffiche :

rray ([5] => azer [3] => wxcv [4] => bvc)

$a==$b	teste l'égalité des deux tableaux. Elle est vraie si les deux tableaux ont les mêmes couples clé-valeur, quel que soit l'ordre. Le contraire est :
$a!=$b ou $a<>$b	Vrai dès qu'un couple est différent : même clé, valeurs différentes ou autre clé.
$a===$b	Teste l'identité des deux tableaux : mêmes couples et dans le même ordre.
$a !==$b	Contraire de la ligne précédente. Vraie s'il y a au moins un couple différent, ou si les couples sont les mêmes ; l'ordre est différent.

onctions sur les tableaux

n a déjà vu :

array(couples)	Construit un tableau. Exemple : $a=array(1=>3.5, 2=>5, 6=>"X");. Les valeurs et les clés peuvent être de types différents. array() crée un tableau vide.

print_r(tableau)	Affiche les couples clé-valeur.
var_dump(tableau)	Comme print_r mais affiche en plus le type de chaque valeur.
unset($tabl[indice])	Supprime l'élément indiqué.
Fonctions de caractérisation	
array_count_values(tabl)	Fournit un tableau dont les clés sont formées par tabl et les valeurs sont les fréquences correspondantes.
array_diff(tabl1,tabl2)	Fournit les valeurs qui diffèrent entre les deux tableaux.
array_key_exists(clé,tabl)	Vraie si la clé indiquée est présente dans tabl.
count(tabl)	Donne le nombre d'éléments du tableau, ou d'un objet. Même fonction sous un autre nom sizeof.

Fonctions de remplissage

array_fill(d,n,valeur)	Fournit un tableau de n éléments égaux à la valeur indiquée et commençant à l'indice d.
array_flip(tabl)	Fournit un tableau dont les clés sont les valeurs de tabl et les valeurs sont les clés.

list(liste de variables)=tableau	Permet d'affecter d'un coup des valeurs à une série de variables. list($a,$x,$k)=array(12,'crac',3.5); revient à la séquence :
	`$a=12 ;`
	`$x='crac' ;`
	`$k=3.5 ;`

onctions d'extraction

array_keys(tabl)	Fournit le tableau des clés de tabl.
array_values(tabl)	Analogue à la ligne précédente. Tableau des valeurs de tabl, indexé numériquement.
array_search(valeur,tabl)	Fournit la première clé correspondant à la valeur indiquée, FALSE s'il n'y en a pas.
array_slice(tabl,début,longueur)	Fournit la tranche indiquée du tableau tabl.
array_reverse(tabl)	Inverse l'ordre des éléments.
shuffle(tabl)	Mélange le tableau et assigne de nouvelles clés.

onctions de tri

asort(tabl)	Trie le tableau en gardant l'association clés-valeurs. Le tri agit sur le tableau argument lui-même, la fonction renvoyant TRUE ou FALSE selon que l'opération a réussi ou non.
arsort(tabl)	Comme asort, mais en ordre inverse.
ksort(tabl)	Trie le tableau selon les clés ; l'association clés-valeurs est conservée.
krsort(tabl)	Comme ksort, mais en ordre inverse.
sort(tabl)	Trie le tableau ; les clés existantes disparaissent au profit d'un nouveau jeu de clés assignées par la fonction.
rsort(tabl)	Comme sort, mais tri décroissant.

onction de calcul

array_sum(tabl)	Calcule la somme des valeurs. La fonction analogue array_product qui calcule le produit n'existe qu'en PHP 5.

Structure foreach

Cette instruction permet de parcourir successivement toutes les valeurs d'u tableau. Elle est de la forme :

```
foreach ($tableau as $cl=>$valeur) {
  instructions
}
```

Dans les instructions, $cl est la clé de l'élément où on en est, $valeur est sa valeu « as $cl=> » est facultatif. En PHP 4, vous ne pouvez qu'utiliser la valeur car o travaille sur une copie du tableau ; en PHP 5, vous pouvez modifier la valeur, condition d'avoir écrit &$valeur dans les parenthèses.

Exemple : nombre de clients qui s'appellent Dupont.

```
$noms=array("Dupont", "Durand", "Duval", "Dupont", "Dulac");
$n=0;
foreach ($noms as $nm){
  if ($nm=="Dupont"){$n++;}
}
echo $n;
```

Fichiers et dossiers

Include

Voici un élément par lequel PHP comble un grand manque de XHTML. En effe XHTML ne permet pas de constituer une page Web en plusieurs fichiers, alor que cela offre des possibilités très utiles. Si on pouvait dans un fichier 1 termine par une commande du genre « inclure fichier 2 », on pourrait faire de fichier une fin de page commune à toutes les pages d'un site.

include('désignfichier'); incorpore le fichier indiqué à l'emplacement de l'ins truction include et le contenu est interprété comme s'il avait été tapé à cet er droit. En particulier, des variables définies avant l'instruction include sont connue des instructions incluses et des variables ou des fonctions définies dans le fichie inclus peuvent être utilisées après. Si l'include est à l'intérieur d'une fonction, l code inclus sera à l'intérieur de la fonction.

e fichier inclus doit contenir les balises <?php et ?> s'il comprend des instruc-
ons PHP. S'il ne comprend que du XHTML, il ne doit pas les contenir.

e fichier inclus peut avoir toute extension, notamment .php ou .htm, mais la plus
onseillée est .txt. On emploie aussi beaucoup .inc.

xemple avec le fichier *xxx.txt* :

```
<?php
echo $a;
$b=36;
?>
```

: le fichier principal :

```
...
$a=10;
include('xxx.txt');
echo $b;
...
```

n aura les écritures 10 et 36 comme si le programme était :

```
...
$a=10;
echo $a;
$b=36;
echo $b;
...
```

nstruction include est très utile. Elle permet de constituer des bibliothèques de
nctions typiques ; pour les utiliser dans une application, on met un include en
te de programme. Elle permet surtout de créer une page Web par assemblage
morceaux, application que nous évoquions au début de cette section.

nctions analogues à include

la fonction include ne trouve pas le fichier spécifié, le programme continuera,
ais, bien sûr, il lui manquera des choses, ce qui générera une erreur difficile à
terpréter puisqu'elle se produira à un endroit différent de la véritable erreur.
au lieu de include, vous employez require('désignfich'), le script sera arrêté et
rreur signalée au bon endroit.

Si l'include est dans un bloc dans if, while ou for, il y a un risque d'inclure plusieur fois le contenu. Cela peut être voulu, mais dans d'autres cas, c'est nuisible, notam ment si on a créé une bibliothèque de fonctions à inclure dans différentes appl cations : leurs définitions ne doivent apparaître qu'une fois. Dans ce cas, utilise include_once ou require_once.

Questions de chemin d'accès

Si le fichier à inclure est dans le même dossier que le fichier appelant, tout e simple : la désignation est formée uniquement du nom et de l'extension. Mais ce n'est pas le cas, notamment s'il s'agit d'un fichier qui peut être appelé de diff rents fichiers appelants situés dans différents sous-répertoires de votre site, to se complique. En effet, si la désignation commence par une désignation relative (répertoires, PHP se fondera pour ses recherches sur un chemin d'accès appe include_path sur lequel vous n'aurez pas forcément la maîtrise. Le mieux consis dans ce cas à utiliser une désignation absolue du répertoire à partir de l'UR d'origine de votre site include http://votre_site/repertoire/sous_repertoire/xx txt.

Gestion des fichiers

L'utilisation d'un fichier se fait en trois phases :

- ✓ **Ouverture du fichier.** On établit la correspondance entre la désignation système du fichier (disque, répertoire, nom) et une variable qui servira à désigner le fichier dans le programme pour toutes les opérations qu'on fer sur lui. On annonce aussi si on lira ou écrira sur le fichier. En lecture, il faut que le fichier existe. En écriture, s'il existe déjà, il pourra être écrasé ; s'il n'existe pas, il sera créé.
- ✓ **Utilisation proprement dite.** Ce sont les lectures ou les écritures.
- ✓ **Fermeture du fichier.** Cela rompt l'association entre la variable de désignation et le fichier, établie à l'ouverture. La variable se trouve libérée e peut donc être utilisée pour une autre ouverture. Pour un fichier en écritu cette phase est essentielle car elle donne lieu à l'écriture effective des dernières données à écrire.

Ouverture du fichier

L'ouverture du fichier se fait par appel de la fonction fopen de la forme :

variable=**fopen**(desfich,mode)

La variable servira à désigner le fichier par la suite. Nous l'appelons $f dans la suite de ce chapitre. Si l'ouverture s'est mal passée, $f a la valeur logique Faux, d'où un test de cette situation.

desfich est une chaîne de caractères qui désigne le fichier pour le système (sur le serveur, c'est donc le plus souvent une désignation de style Unix/Linux). On peut avoir repertoire/sousrepertoire/nom.ext. Si le fichier est dans le même répertoire que votre programme PHP, la désignation se réduit à nom.extension. Mais dans certains cas, il faut prendre une désignation absolue de la forme http://votresite/rep/sousrep/nom.ext pour avoir toujours la même désignation de quelque endroit qu'émane l'appel.

mode est un caractère qui indique ce qu'on fera avec le fichier. Voici les valeurs possibles (en gras, les plus importantes ; nous ne rencontrerons pas les autres dans ce livre) :

- ✓ **"r"** : Lecture seule ; on se positionne en début de fichier. Il faut qu'il existe.
- ✓ "r+" : Lecture et écriture.
- ✓ **"w"** : Écriture ; on se positionne en début de fichier et le contenu préexistant sera écrasé. Si le fichier n'existe pas, il sera créé.
- ✓ "w+" : Comme précédemment, mais lecture et écriture.
- ✓ "a" : Écriture mais on se positionne en fin de fichier (ajout). Les données préexistantes ne sont pas effacées. Si le fichier n'existe pas, il est créé.
- ✓ "a+" : Comme précédemment, mais lecture et écriture.

ıpératifs

ɔur un fichier en écriture, si le serveur fonctionne sous Unix/Linux, il faut que ›ut le monde ait les droits d'écriture. Donc, même pour un fichier à créer, vous ·éez un exemplaire en local, vous le transmettez par FTP chez l'hébergeur et ›us établissez les droits. Ce fichier sera écrasé à mesure des utilisations.

ɔur modifier un fichier, il faut d'abord le copier. Ensuite, il faut ouvrir la copie ı lecture et l'original en écriture. Vous lisez les données sur la copie, faites vos odifications et écrivez sur l'original : l'ancien état sera remplacé.

la totalité des données peut tenir en mémoire, vous n'avez pas besoin d'avoir ›ux fichiers ouverts simultanément : vous ouvrez le fichier en lecture, lisez ›utes les données en mémoire et fermez le fichier ; vous le rouvrez en écriture, :rivez les données modifiées et refermez.

:emples :

```
$f=fopen('stat.txt','r');    //ouvre en lecture le fichier
                             //stat.txt qui est dans le
                             //même répertoire que le script
                             //PHP qui contient l'instruction.
$site="http://www.monsite.fr/";
$fname=$site."accueil.htm";
$f=fopen($fname,"w") or exit ("Ouverture impossible");
```

La désignation absolue est construite par concaténation et on prévoit l'arrêt d script en cas d'échec (probablement dû à un problème de droit d'écriture).

Les opérations

Dans ce qui suit, $f désigne la variable de manipulation du fichier (résultat d fopen), $fname contient le nom complet du fichier (avec disque ou site et ré pertoire). $a désigne une variable chaîne, $t un tableau. Les fonctions les plu importantes sont en gras.

$a=fgetc($f);	Lit un caractère dans le fichier désigné par $f.
$a=fgets($f,longueur);	Lit une ligne dans le fichier texte. Si longueur n'est pas spécifiée, le défaut est 1024 mais si la ligne est plus longue, elle sera lue. Il n'est utile de fournir ce paramètre que si de nombreuses lignes dépassent 8 ko.

Exemple (lecture de tout un fichier texte) :

```
$f=fopen("discours.txt","r");
while (!feof($f)){
  $t[]=fgets($f);
}
fclose($f);
```

$t=file($fname);	Lit le fichier texte et met les lignes (avec leur retour-chariot) dans les éléments successifs du tableau, donc fait la même chose que le programme précédent.

$a=**fread**($f,longueur);	Lit longueur caractères du fichier et les stocke dans la variable $a. Si longueur est plus grand que la taille du fichier, tout le fichier sera lu. Avec les capacités importantes de mémoire dont on dispose maintenant, il est extrêmement commode de lire tout le fichier et d'analyser la chaîne obtenue. Normalement, une page Web devrait tenir dans une longueur de 32000, mais rien ne vous empêche de spécifier plus.
fwrite($f,$a);	Écrit le contenu de la chaîne $a dans le fichier indiqué. Pour mettre à jour un fichier, on utilise l'ensemble :

```
$f=fopen("....","r");
$a=fread($f,32000);
fclose($f);
....
//modifications de la variable $a
f$=fopen("....","w");
fwrite($f,$a);
fclose($f);
```

Fermeture

fclose($f);	Ferme le fichier désigné par $f.

Fonctions annexes

copy($fname1,$fname2)	Copie le fichier 1 pour constituer le fichier 2. Les désignations sont les noms complets.
feof($f)	Vrai si on est à la fin du fichier.
file_exists($fname)	Vrai si le fichier de nom complet spécifié existe.
filesize($fname)	Fournit la taille du fichier.
rename($fname1,$fname2)	Renomme le fichier 1 avec le nom complet $fname2.

Fonctions sur les dossiers (répertoires)

$d=getcwd()	Donne le nom du dossier courant.
$e=opendir($d)	$e pointe sur le dossier $d
$f=readdir($e)	Les appels successifs donnent les fichiers et sous-dossiers de $e.

Coup de loupe

Avant d'illustrer notre propos par quelques exemples, insistons sur les trois principaux pièges de PHP qui vous guettent surtout si vous êtes habitué à d'autres langages :

- ✓ oubli du « ; » à la fin d'une instruction ;
- ✓ oubli du « $ » en tête d'un nom de variable ;
- ✓ test d'égalité avec « = » alors qu'il faut « == ».

Pages modulaires

Copiez le dossier aac10 en aac10_3. Renommez tous les fichiers xxx.htm en xx php. Créez un fichier *commun.txt* formé du début de n'importe quelle page dep le DOCTYPE jusqu'au </div> devant <div id="page">. Dans *commun.txt*, dans to les href des liens du menu, remplacez .htm par .php.

Dans toutes les pages .htm devenues .php, remplacez le début par :

```
< ?php
include('commun.txt');
?>
```

Voici par exemple *index.php* :

```
<?php
include('commun.txt');
?>
<div id="page">
L'Association des Amis des Chats du 10e accueille<br />
```

```
tous ceux qui aiment les chats dans le 10e arrondissement.<br />
Elle est votre association. Adhérez.
</div>
</body>
</html>
```

ous ne pouvez pas essayer cette nouvelle version en local : vous devez envoyer dossier chez votre hébergeur et appeler www.votre_site/aac10_3.Vous obtien-ez exactement le même fonctionnement, sauf que le menu ne sera pas répété.

Page créée/modifiée à la demande

raitement d'un formulaire

premier pilier du traitement d'un formulaire est la désignation des réponses. 'est très simple : la chaîne de caractères réponse à une zone d'entrée <input pe="text" name="npr" /> est $_POST['npr'].

deuxième pilier est que les données recueillies doivent être emmagasinées ins une base de données. Cela implique en principe de faire appel à MySQL ; cela ous entraînerait trop loin pour une prise en main, donc nous allons simplifier.

fichier trvie.php

ous allons limiter le traite-ent au nom-prénom et au mot passe. Nous allons supposer ie ces données pour chaque embre sont à la suite dans un fi-ier texte *adher.txt* avec un « ! » séparation. Voici un exemple ec deux adhérents : « Dupont lesscoubidou!Durand Louisemi-ouminou! ».

rès l'avoir envoyé chez votre bergeur, vous devez donner les oits d'écriture à tous.

Modifier les attributs du fichier
Sélectionnez les nouveaux attributs du fichier "adher.txt".
Droits du propriétaire
Lire Écrire Exécuter
Permissions du groupe
Lire Écrire Exécuter
Permissions publics
Lire Écrire Exécuter
Valeur numérique : 777
Vous pouvez utilisez un x pour garder les permissions initiales du fichier.
OK Annuler

trvie.php

```
<?php
$npr=stripslashes($_POST['npr']);
$mp=stripslashes($_POST['mp']);
$f=fopen('adher.txt','r');
$listadh=fread($f,32000);
fclose($f);
$lnp=strlen($npr); $lmp=strlen($mp);
$p=strpos($listadh,$npr);
echo '<meta content="text/html; charset=UTF-8" http-
equiv="content-type" />';
if ($p!==FALSE) {
  $q=strpos($listadh,$mp,$p+1);
  if (($q==$p+$lnp) and (substr($listadh,$p+$lnp+$l
    mp,1)=='!')) {
    echo '<h1>Vie de l\'association AAC10</h1><h3>(Réservé
      aux membres)</h3>';
    echo '<h2>Réunion des membres le 15 Janvier
        prochain</h2>';
  }else{ echo 'Mauvais mot de passe '.$mp;}
}else{ echo 'Nom-prénom inconnu '.$npr;}
?>
```

Nous avons simplifié au maximum ; la balise <meta /> est écrite dans tous les c
Les stripslashes enlèvent les échappements éventuels de caractères spéciaux da
$mp et $npr. On trouve la position $p du nom-prénom et le mot de passe e
correct s'il est trouvé en $p+longueur du nom-prénom et si le séparateur « !
est bien en position $p+les deux longueurs.

Le fichier *tradh.php*

Là aussi, nous simplifions au maximum. Les seules données traitées nom-préno
et mot de passe sont ajoutées à la fin du contenu $listadh du fichier *adher.txt*
condition que le nom-prénom ne soit pas déjà présent.

tradh.php

```
<?php
$npr=stripslashes($_POST['npr']);
$mp=stripslashes($_POST['mp']);
$f=fopen('adher.txt','r');
$listadh=fread($f,32000);
fclose($f);
echo '<meta content="text/html; charset=UTF-8" http-
equiv="content-type" />';
$p=strpos($listadh,$npr);
if ($p!==FALSE) {
```

```
  echo 'Nom-prénom '.$npr.' déjà présent';
}else{
  $listadh.=$npr.$mp.'!';
  $f=fopen('adher.txt','w');
  fwrite($f,$listadh);
  fclose($f);
  echo '<h2>Bravo ! Vous êtes inscrit. Pensez à verser votre
cotisation.</h2>';}
?>
```

Coup de loupe

Inscrivez un nouvel adhérent. Vous devez remplir toutes les rubriques obligatoires, même celles qui ne sont pas traitées. Vous obtenez l'affichage suivant :

Bravo ! Vous êtes inscrit. Pensez à verser votre cotisation.

Vérifiez ensuite que cet adhérent a bien accès à la page Vie de l'association.

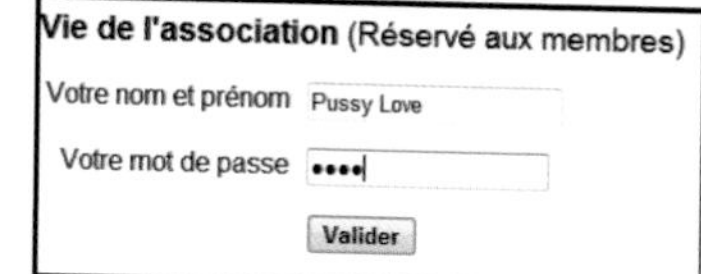

Vie de l'association AAC10

(Réservé aux membres)

Réunion des membres le 15 Janvier prochain

Forum

Commencez par donner les permissions d'écriture sur le fichier *forum.php* puisque *trforum.php* doit le modifier.

trforum.php

```
<?php
$npr=stripslashes($_POST['npr']);
$cc=stripslashes($_POST['cc']);
$f=fopen('forum.php','r');
$texte=fread($f,50000);
fclose($f);
$p=strpos($texte,'<p>');
$deb=substr($texte,0,$p);
$fin=substr($texte,$p);
```

```
$np='<p>'.date('j-M-Y').'-'.$npr.'<br />'."\n".$cc.'</p>';
$texte=$deb."\n".$np."\n".$fin;
$f=fopen('forum.php','w');
fwrite($f,$texte);
fclose($f);
header('Location: forum.php');
?>
```

Le programme lit tout le texte du fichier *forum.php* dans la variable $texte qu'il décompose ensuite en $deb (début jusqu'au premier <p>) et $fin (depuis ce premier <p>, de position $p). Le nouveau $texte est formé de la concaténation de $deb, du nouveau paragraphe $np et de la fin. Le nouveau paragraphe est formé de "<p>", la date, "-", $npr, "<br />", $cc contenu de la textarea contribution et "</p>".

Le nouveau texte est écrit dans le fichier et le programme se termine en renvoyant à la page *forum.php* pour que le visiteur voie sa contribution prise en compte.

Coup de loupe

Rappelons que ces essais ne sont possibles que si vous avez implanté le dossier *aac10_3* chez votre hébergeur.

Forum

17/12/2009-Lescaut Julie
Réponse à Florent Isabelle : Oui. Le mien les aime beaucoup.

15/12/2009-Florent Isabelle
Puis-je donner des boulettes Sblotch à mon chaton ?

Votre nom et prénom Mère Michel

J'ai perdu mon chat. Aidez-moi !

OK

Forum

24-Dec-2009-Mère Michel
J'ai perdu mon chat. Aidez-moi !

17/12/2009-Lescaut Julie
Réponse à Florent Isabelle : Oui. Le mien les aime beaucoup.

15/12/2009-Florent Isabelle
Puis-je donner des boulettes Sblotch à mon chaton ?

Votre nom et prénom

Entrez votre question ou votre contribution ici

OK

Coup de main

Notre étude de PHP a été squelettique et les exemples réduits à la portion congrue pour tenir dans les limites d'une prise en main. Vous pouvez trouver un exposé plus détaillé et de nombreux exemples d'applications très utiles dans l'ouvrage *PHP-Ateliers Web* (Éditions Ellipses) de votre serviteur. On y aborde, entre autres, le comptage des visites du site, la création automatique d'une galerie de photos, la gestion des sessions, la construction et l'utilisation d'une base de données MySQL. Ces derniers éléments sont les premiers pas vers les applications de e-commerce

Chapitre 9

4

Rendez votre site accessible

Dans ce chapitre

- ✓ Pensez aux handicapés
- ✓ Style au choix du visiteur

Pensez aux handicapés

L'accessibilité des sites à des visiteurs affectés d'un handicap est devenue une préoccupation importante des webmasters et c'est une bonne chose ; ce n'est pas une faveur, c'est normal. Il est normal que tous les efforts soient faits pour qu'un handicapé puisse tirer profit de l'Internet de façon autonome. D'ailleurs, le cahier des charges de développement de la plupart des sites officiels stipule des clauses d'accessibilité.

Bien sûr, pour un site personnel, ces considérations sont moins cruciales, mais vous avez toutes les raisons de faciliter la visite de votre site à tout le monde.

Comme nous l'avons vu, la séparation entre les informations et leur structure d'une part, confiées au balisage XHTML, et la mise en forme d'autre part, confiée aux styles CSS, facilite la mise en œuvre de dispositions qui améliorent l'accessibilité.

Les handicaps sont nombreux et de degrés divers. Les principales déficiences qui rendent difficile la consultation d'un site sont :

- ✓ **Les déficiences visuelles.** Déficiences partielles (images floues, mauvaise distinction des couleurs), mais également cécité totale.
- ✓ **Les déficiences motrices.** Difficulté à placer la souris avec assez de précision pour cliquer, difficulté à taper au clavier.

Pour les déficiences visuelles légères, on envisagera des styles adaptés : gros caractères, couleurs très contrastées. Pour les problèmes de vue plus graves, il existe des logiciels « lecteurs d'écran » ; dans ce cas, il faut alors concevoir le site en pensant à certaines caractéristiques de ces logiciels.

Pour les difficultés de manipulation de la souris, on peut proposer des substituts au clic sous la forme de frappes clavier.

Attributs facilitant l'accessibilité

Les balises proposent un certain nombre d'attributs qui facilitent l'accessibilité ils doivent être employés systématiquement. Tous les éléments textuels de la page seront lus sans problème par les lecteurs d'écran. En revanche, pour tous les autres éléments, vous devrez impérativement fournir les attributs qui permettent d'apporter un texte de substitution (alt pour une image) ou un complément d'information (title, summary…).

accesskey

accesskey permet de sélectionner un lien ou une zone de formulaire par une frappe clavier. Nous y reviendrons plus loin.

alt

alt permet de fournir dans la balise <img /> un texte de substitution qui apparaît si l'image ne peut s'afficher. Ce texte est normalement lu par les lecteurs d'écran. Il doit être descriptif : il ne suffit pas de dire « image de voiture », il faut aussi décrire cette voiture et son environnement.

longdesc

longdesc permet de fournir une description longue pour les images ou les tableaux. On spécifie l'URL d'une page Web qui sera formée d'un texte descriptif pouvant être lu par les lecteurs d'écran. Pour un diagramme « camembert », on écrira, par exemple, « Répartition des exportations, Allemagne 40%, Italie 20%... ».

De même, les tableaux ne sont pas faciles à traiter pour les lecteurs d'écran : si une cellule est sur deux lignes, le lecteur d'écran risque de passer à la cellule à côté après la première ligne. Donc, là aussi, un longdesc formulant les informations de façon séquentielle sera utile.

summary

Associé à <table>, summary permet de fournir un résumé des données plus détaillé que title mais plus bref que longdesc.

title

title permet de spécifier une info-bulle pour à peu près tous les éléments. Cet attribut est normalement lu par les lecteurs d'écran. C'est particulièrement utile pour les liens.

Quelques recommandations

Essayez de spécifier les tailles de polices de caractères de façon relative (% ou em) et, si possible, les tailles des éléments (width : 90% ;). Ainsi, un visiteur pourra utiliser facilement la commande de zooming pour ajuster la taille de tous les éléments proportionnellement.

Autre recommandation : observez autant que possible les normes. De plus en plus, les logiciels d'aide les suivront et exploiteront plus facilement vos pages si vous les respectez.

Structure du site et navigation

Même la structure du site et la navigation doivent être conçues en pensant à l'accessibilité. En particulier, évitez les structures trop complexes et les arborescences de navigation trop élaborées. Tout lien et tout changement de page posent des problèmes aux lecteurs d'écran.

Le mieux est d'avoir une structure linéaire où la seule opération sera « page suivante ». Dans ce cas, la commande pourra se faire au clavier.

Même la structure interne des pages doit être autant que possible linéarisée pour que le lecteur d'écran n'hésite pas pour passer d'un élément au suivant. Sinon, les tableaux risquent de poser problème.

Aussi, dans l'exemple du site associatif, nous avons installé la division menu avant la division contenu de la page. Pour l'accessibilité, l'inverse serait préférable et cela n'empêcherait pas le style de placer le menu à gauche pour les visiteurs qui n'ont pas de problèmes de vue. Pour les malvoyants, l'absence de style ou un style spécial permettrait au visiteur d'arriver d'emblée au contenu.

Éléments à éviter

Nous n'avons pas parlé dans ce livre des cadres qui permettent de diviser la fenêtre du navigateur. Ils sont très dépréciés dans les recommandations du W3C qui se préoccupe beaucoup de l'accessibilité. En effet, ils posent des difficultés aux lecteurs d'écran : tout ce qui divise l'écran est problématique. Il en est de même pour l'attribut target. Nous avons dit que target="_blank" permettait que l'appel d'un site étranger se fasse dans une nouvelle fenêtre, ce qui montre au visiteur qu'on change de site. Mais ceci est valable pour ceux qui voient bien. Pour les malvoyants, c'est très nuisible parce que les lecteurs d'écran sont gênés.

Commande par le clavier

onkeypress

Il est recommandé que toute balise qui a un onclick="f()" ait en même temps onkeypress="f()". Ainsi, l'action déclenchée par un clic le sera aussi par l'appui sur une touche quelconque.

accesskey

Dans une balise <a>, <input> ou <button>, le paramètre accesskey permet de spécifier un caractère qui servira de raccourci pour activer le lien ou l'élément de formulaire. Exemple : <a accesskey="1" href="...">Clic ici ou (touche 1)</a>.

Avec Firefox, Alt-Maj-1 fait agir le lien. Avec Internet Explorer, la même frappe électionne le lien ; il faut taper **Entrée** pour qu'il agisse.

Avec une zone d'entrée de formulaire, la frappe sélectionne la zone même avec Firefox et le visiteur n'a plus qu'à entrer la donnée.

Cette possibilité semble très prometteuse pour les internautes qui ont des difficultés à manipuler la souris. Mais elle présente quelques inconvénients :

- ✓ La combinaison de touches (**Ctrl**, **Alt**, **Maj**) à actionner en plus de la touche indiquée varie avec les navigateurs et, avec Internet Explorer par exemple, il faut faire **Entrée** en plus.
- ✓ Il faut faire très attention à ne pas attribuer un raccourci déjà utilisé par le navigateur ou le logiciel d'aide : la fonctionnalité pour le logiciel serait perdue. Cela laisse peu de touches possibles. En outre, il faut indiquer au visiteur la correspondance entre actions et raccourcis utilisés.

Un certain nombre d'auteurs recommandent la liste suivante qui deviendra peut-être un standard de fait : 0, politique suivie ; 1, Accueil ; 2, Contenu ; 3, Menu ; 4, Recherche ; 9, Contact.

tabindex

Il est très facile dans un formulaire d'attribuer aux contrôles un ordre de tabulation en fournissant à chacun tabindex="n°". Dans ce cas, on passe d'un contrôle au suivant dans l'ordre des numéros par un simple appui sur la touche **Tab**.

Le formulaire peut alors être rempli uniquement au clavier. Pour les boutons radio et les select, on passe d'une option à l'autre avec les touches curseur haut et bas, et pour les cases à cocher, on coche/décoche avec la touche **Espace**.

Styles au choix du visiteur

Créez deux feuilles de style *s1.css* (normale) et *s2.css* (très contrastée) :

s1.css

```
body {color: gray;  font-size: 1em;}
h1 {font-size: 1.5em;}
a {color: black;}
a#o {display: none;}
a#g {font-size: 2.5em}
```

s2.css

```
body {color: black; font-size: 2.5em;}
h1 {color: red; font-size: 1.5em;}
a {color: black;}
a#g {display: none;}
```

Pour changer de style, vous devez implanter des liens de la forme <a href="?s1">Style 1</a> qui appelle la page en cours, mais en ajoutant « ?s1 » derrière l'URL. On récupère par self.location.search.slice(1) en JavaScript, et par $_ENV['QUERY_STRING'] en PHP, ce qui suit le ?. On implante dans une balise <style> une instruction @import url(*s1.css*) qui active le style demandé. Les liens indiquent la touche d'accesskey utilisée.

eschgtsty.htm est la version avec JavaScript :

```
<!DOCTYPE html PUBLIC "-//W3C//DTD XHTML 1.0 Strict//EN"
 "http://www.w3.org/TR/xhtml1/DTD/xhtml1-strict.dtd">
<html xmlns="http://www.w3.org/1999/xhtml">
<head>
<meta content="text/html; charset=UTF-8" http-equiv="content-
type" />
<script>
if (self.location.search=='') {t='s1'
}else{t=self.location.search.slice(1)}
document.write('<style>\n@import url('+t+'.css);\n</style>')
</script>
</head>
<body>
<a id="o" href="?s1" accesskey="1">Style normal (1)</a>
<a id="g" href="?s2" accesskey="2">Mieux voir (2)</a>
<h1>Changements de style</h1>
Vous pouvez changer de style soit par clic soit<br />
par Alt Maj 1 ou 2 (puis Entrée sous IE).
</body>
</html>
```

Coup de loupe

En JavaScript, self.location.href comprend le « ? » ; slice(1) prend la chaîne à partir du caractère n° 1, donc l'élimine (rappel : il a le n° 0). Ce problème n'existe pas en PHP : le « ? » n'est pas compris dans $_ENV['QUERY_STRING'].

our obtenir la version PHP *eschgsty.php*, remplacez <script>…</script> par :

```
<style>
<?php
$q=$_ENV['QUERY_STRING'];
if ($q=='') {$q='s1';}
echo '@import url('.$q.".css);\n";
?>
</style>
```

'oici les deux aspects obtenus. Il est clair que le second est plus lisible pour les ersonnes ayant une mauvaise vue. De plus, le visiteur peut changer le style soit ar un clic souris, soit au clavier.

Mieux voir (2)

Changements de style

Vous pouvez changer de style soit par clic soit par Alt Maj 1 ou 2 (puis Entrée sous IE).

Style normal (1)

Changements de style

Vous pouvez changer de style soit par clic soit par Alt Maj 1 ou 2 (puis Entrée sous IE).

Nous venons de voir tout un ensemble de méthodes destinées à améliorer l'accessibilité (et aussi l'agrément) de votre site.

Bien sûr, tout n'est pas applicable en même temps, et d'ailleurs tout n'est pas à appliquer en même temps : vous devez réfléchir au public visé par votre site. Mai plus vous serez général, mieux ce sera.

Certaines techniques se substituent l'une à l'autre : nous avons vu des solution JavaScript et PHP du même problème.

Par ailleurs, on peut tout de même faire des hypothèses positives : les internaute souffrant d'un handicap sauront que certaines solutions font appel à JavaScript donc ils n'interdiront pas ce langage.

Le plus à redouter, c'est les navigateurs très anciens. La solution est d'avoir un XHTML parfaitement structuré, donc exploitable sans styles et d'appeler le styles par @import : le navigateur ne verra pas les styles.

Plus « traître » encore, c'est le navigateur qui interprète la moitié des styles. Plu votre XHTML sera correct et structuré et moins ce cas créera de problème. En fait, les navigateurs anciens disparaissent progressivement, et, à mesure qu'on avance dans les versions, les navigateurs obéissent de mieux en mieux aux normes.

Enfin, il est évident qu'on ne peut jamais tout avoir : si vous incorporez des vidéo à votre site, les déficients visuels ne pourront pas en profiter ; c'est pourquo vous devez faire l'effort d'introduire un texte descriptif qui leur permette d'êtr informés (certes de façon limitée) de leur contenu.

Chapitre 10

Trouvez un hébergeur et référencez votre site

Dans ce chapitre

- ✓ Qu'est-ce qu'un hébergeur ?
- ✓ Gratuit ou payant ?
- ✓ Choisissez un hébergeur
- ✓ Faites venir les visiteurs

Qu'est-ce qu'un hébergeur ?

Si vous avez créé un site, c'est pour qu'il soit sur l'Internet, visible de toute la po pulation mondiale. Pour cela, il faut, comme on dit, le *mettre en ligne*. Cela nécessite un ordinateur serveur allumé en permanence, connecté au réseau 24 heures sur 24. Ce n'est pas possible pour un particulier ou même pour une petite entreprise. Il existe des entreprises qui sont équipées ainsi et qui louent de l'espace disque pour des sites. Ce sont des *hébergeurs*. Ils fournissent :

- ✓ **Une connexion permanente.** L'hébergeur doit assurer la permanence de la connexion sauf lors de courtes périodes de maintenance ou de rares incidents.
- ✓ **Une taille suffisante d'espace disque pour le site.** De fait, le tarif reflète cette taille. Il faut au moins 50 ou 100 Mo, plus si vous avez beaucoup de photos.
- ✓ **Une vitesse suffisante pour la réponse du serveur.** Cette vitesse doit rester suffisamment élevée, même en cas d'encombrement, par un grand nombre de visiteurs.
- ✓ **Un nom de domaine.** C'est le nom attribué à votre site sous contrôle d'une autorité internationale de régulation. Un nom qui commence par le nom de l'hébergeur comme *www.freeweb.fr/djdavid* est moins cher que *www.djdavid.fr*.
- ✓ **Des outils, notamment de programmation, permettant de traiter les formulaires.** Pour programmer, vous devez au moins avoir PHP. En principe, l'hébergeur vous fournit le logiciel de FTP avec lequel vous lui envoyez les fichiers de votre site. Il peut y avoir une limitation sur la fréquence des mises à jour possibles.
- ✓ **Éventuellement, une aide à l'élaboration du site.** L'hébergeur peut vous aider à perfectionner votre site (service toujours payant).

Gratuit ou payant ?

Il est indispensable d'avoir un hébergeur. L'hébergement peut être gratuit ou payant.

Mais disons tout de suite que, si c'est gratuit, vous n'avez aucun droit alors que si vous payez, vous avez les droits que vous donne le contrat signé. Peut-être vous demandez-vous ce que gagne l'hébergeur qui vous héberge gratuitement. Avant es hébergeurs gratuits inséraient des messages publicitaires dans votre site, ce qui n'est presque plus le cas.

Certains imposent que leur bannière soit affichée sur votre site ; donc on peut penser que leur bénéfice vient de la notoriété qui leur sera procurée, à condition que votre site soit beaucoup visité. Pour notre part, nous pensons que, après un certain temps d'utilisation des prestations gratuites, vous serez lassé des limitations et vous souscrirez un contrat payant. Donc l'hébergement gratuit est, à notre avis, mais ce n'est que notre avis, un appât pour que vous preniez un hébergement payant chez ce même hébergeur.

Maintenant, même si vous restez en mode gratuit, vous pouvez être amené à utiliser les prestations annexes d'aide à la construction de votre site : donc, là aussi, l'hébergeur a de l'argent à gagner, ce qui est normal.

Un autre élément où la question « gratuit ou payant » intervient est le nom de domaine, c'est-à-dire le nom de votre site. Du côté payant, vous avez un certain contrôle sur le nom et vous pouvez assurer qu'il soit facile à retenir en rapport avec votre propre nom ou votre raison sociale. En mode gratuit, le nom sera inévitablement du genre *www.site_hébergeur.fr/votre_nom*.

Voici quelques autres limitations apportées par la gratuité.

✓ Il n'est pas toujours possible de s'inscrire pour un hébergement gratuit : si, au moment où vous présentez votre demande, l'hébergeur a beaucoup d'inscrits, il n'y aura pas de place pour vous.

✓ Ce n'est pas aux abonnés gratuits que l'hébergeur va consacrer le maximum de ses ressources. Aussi, les hébergements gratuits ont tendance à limiter strictement les services offerts et les possibilités de programmation. De fait, l'hébergement gratuit n'est, à notre avis, valable que pour un petit site personnel.

Les points-clés à prendre en considération

Les questions que vous devez vous poser sur l'hébergement auquel vous vous apprêtez à souscrire dépendent beaucoup du genre de site que vous voulez constituer. Voici les points à vérifier mis en correspondance avec les types de sites pour lesquels ils sont cruciaux.

✓ **Taille totale du site.** Les besoins sont très difficiles à évaluer. Les hébergeurs proposent 50 ou 100 Mo, ce qui n'est pas mal (une simple page personnelle fait moins de 50 ko), mais peut être vite atteint, vous obligeant à regarder des offres à 300 Mo ou plus.

Les points-clés à prendre en considération (suite)

✓ **Performances.** C'est la vitesse de réponse du serveur ; il est très difficile d'avoir une réponse sincère du responsable. De plus, certaines dégradations peuvent ne pas être de la faute de l'hébergeur, mais le mieux est de s'adresser à ceux qui sont le mieux équipés. Des sites de sociétés ne peuvent avoir de défaillance sur ce point, il y va de votre image, alors que pour une petite page perso, c'est moins grave.

✓ **Nom de domaine.** La fourniture d'un nom de domaine fait-elle partie de l'offre ? Certains supposent que vous avez acheté un nom par ailleurs. Il vaut mieux n'avoir qu'un fournisseur, mais si vous avez un nom de domaine qui ne dépend pas de votre hébergeur, vous pouvez changer d'hébergeur sans avoir à changer le nom de votre site.

✓ **Téléchargement possible.** Vous pouvez avoir besoin d'offrir des données en téléchargement pour vos visiteurs, tout en ne faisant pas de trafic de fichiers musicaux piratés.

✓ **Programmation possible.** Pour un site à mise à jour en ligne, ou d'ailleurs pour d'autres applications (comme un forum), il doit être possible de programmer sur le serveur. On considère que le minimum dans ce domaine est PHP.

✓ **Outils d'aide à la création de site.** Assez souvent, l'hébergeur propose des logiciels d'aide à la construction de site. Il faut au moins qu'il fournisse un logiciel de FTP pour lui transmettre vos fichiers.

✓ **Service de référencement.** Nous détaillerons le service de référencement en fin de chapitre.

Pour les sites payants, vous devez comparer toutes les caractéristiques offertes par les différents hébergeurs pour voir lequel propose le meilleur rapport qualité-prix. Portez une attention particulière à la durée minimale d'engagement : vous devez pouvoir en changer le plus rapidement possible s'il s'avère que votre choix n'est pas satisfaisant.

Choisissez votre hébergeur

Le plus simple est d'appeler un moteur de recherche comme Google avec les mots clés « hébergement » et éventuellement « gratuit ».

Hébergeurs gratuits

Les propositions sont innombrables. Une des plus reconnues est celle de Lycos Multimania (à l'adresse `www.multimania.fr`).

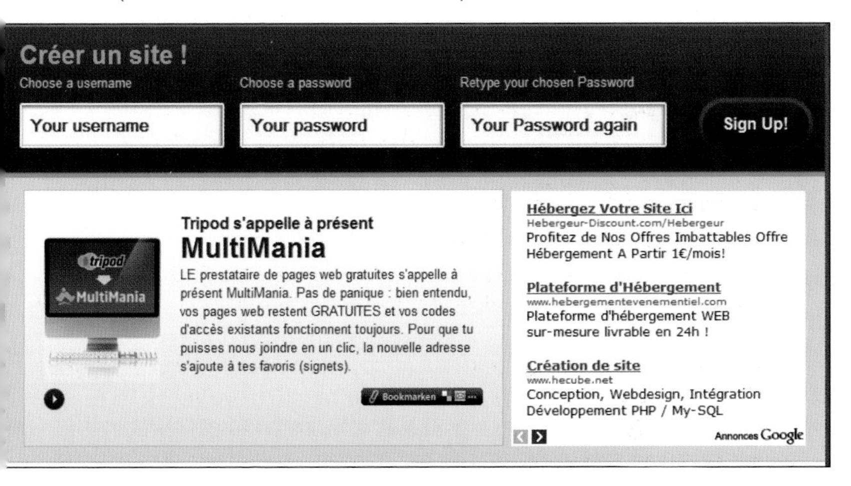

1. Cliquez sur **Sign up** (**S'inscrire**). Passez dans la page d'inscription et répondez au questionnaire avec notamment le choix d'un identifiant. Après quelque temps, vous recevez un mail de confirmation.
2. Cliquez sur le lien d'activation. Vous devez choisir un nom de site comme `danieljeandavid` (il peut être identique à votre identifiant) et un nom de domaine comme `membres.multimania.fr` parmi les propositions. Dans notre exemple, l'adresse de site sera `http://membres.multimania.fr/danieljeandavid`.

Confirmation de votre inscription à Multimania MultiMania Pages Perso

Pour rendre votre compte Multimania complètement opérationnel vous devez choisir un nom pour votre site, un nom de domaine et un mot de passe pour votre compte FTP. Le nom de votre site figurera dans l adresse Internet (URL) de votre site. Vous pouvez voir l adresse URL complète en dessous du champ d entrée du nom du site.
Le mot de passe FTP est requis lorsque vous publiez votre site au travers d un logiciel FTP ou Frontpage. Le mot de passe FTP peut-être le même que le mot de passe de votre connexion au réseau Multimania.

Nom du site * danieljeandavid

membres.multimania.fr

L'adresse URL de votre site: http://membres.multimania.fr/danieljeandavid

Mot de passe FTP * ••••••••

Saisir de nouveau votre mot de passe FTP * ••••••••

8 8 6 8 **Afin de terminer votre inscription, Recopiez le Code Sécurité ci-dessous** *

8868

Suivant

3. Allez ensuite sur `www.multimania.fr`. Indiquez vos identifiant et mot de passe tout en haut de la page, puis cliquez sur **S'inscrire** ▶ **WebFTP** ▶ **open WebFTP**. Là, vous avez un client FTP avec lequel vous pouvez transférer vos fichiers que vous choisissez par **Parcourir** dans la partie droite de la fenêtre. Il y a déjà un *index.html* qui indique que le site est en construction et que vous pouvez apporter des modifications.

4. Terminez par en cliquant sur **Charger**.

Nous avons transféré nos fichiers du chapitre précédent *eschgtsty.php*, *s1.cs* et *s2.css*, et appelé `http://membres.multimania.fr/danieljeandavid/eschgtsty.php` : nous obtenons les pages déjà vues, mais « agrémentées » de publicités.

Par ailleurs, après l'inscription, un mail vous informe des paramètres (hôte et utilisateur) de connexion à utiliser pour un autre client FTP que leur WebFTP, par exemple Filezilla. Dans notre exemple, l'hôte est `ftp.membres.multimania.fr` et l'utilisateur, *danieljeandavid*.

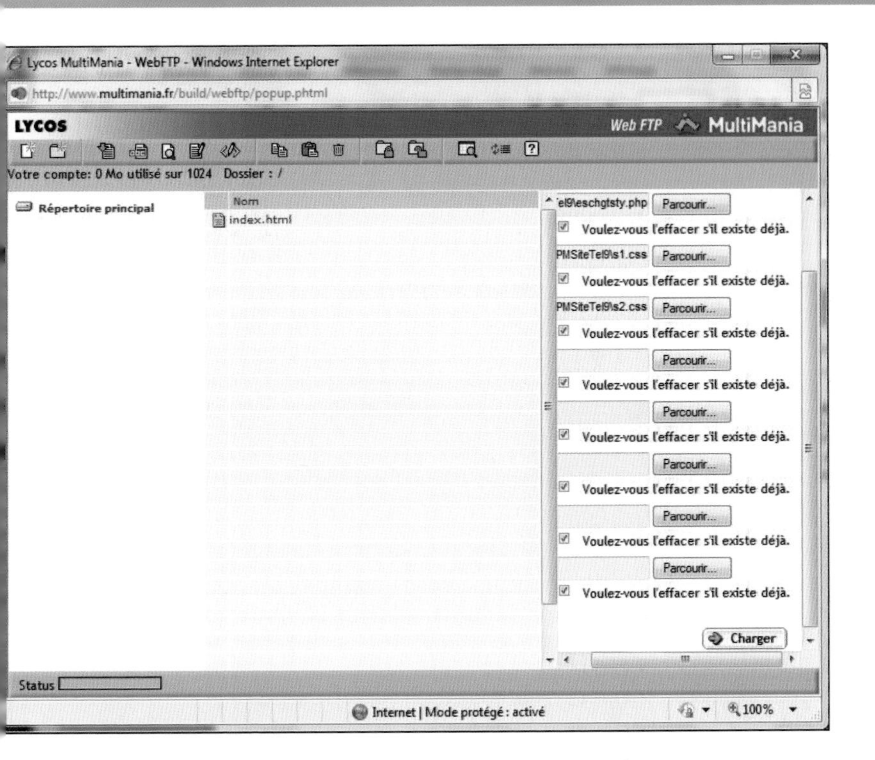

Hébergeurs payants

Si vous ne demandez pas la gratuité, le moteur de recherche vous donne aussi d'innombrables choix, par exemple **1and1**.

L'inscription se passe de façon analogue à ce que nous avons vu précédemment. La différence est que, après la période de gratuité, vous recevrez périodiquement une facture. Mais il n'y a ni limitation (selon le contrat choisi), ni bannières de publicité, et le nom du site ne rappelle pas l'hébergeur.

Faites venir les visiteurs

Une fois que vous avez développé votre site et que vous l'avez implanté chez un hébergeur, il faut qu'il soit visité, donc que des gens sachent qu'il existe et qu'il traite de sujets qui les intéressent. Où les surfeurs cherchent-ils les pages à visiter ? Dans les moteurs de recherche. Donc, si vous voulez qu'on trouve votre site il faut qu'il soit connu des moteurs de recherche, c'est-à-dire qu'il soit *référencé*.

Les moteurs de recherche proposent un formulaire qui permet de s'inscrire, mais vu leur nombre, c'est une tâche fastidieuse. Certains hébergeurs offrent un service de référencement : ils se chargent de cette tâche pour vous. Mais, pour certains moteurs, notamment Google, c'est inefficace : ces derniers se fondent su leurs critères (surtout de fréquentation) pour inscrire un site.

Pour les autres moteurs, votre site sera analysé, soit systématiquement, soit pou vérification une fois qu'il aura été signalé. Des balises aident à mettre en évidence ce dont parle votre site : <title> (il est conseillé d'indiquer un titre aussi descripti que possible) et <meta />, pour les valeurs de name "Description" (une description du site) et "Keywords" qui permet d'indiquer une série de mots clés, qu doivent être bien choisis.

Avec les moteurs modernes, qui analysent tout le site, l'importance de <meta /> est moindre.

Pour les moteurs qui se fondent sur la popularité de votre site, c'est-à-dire su le nombre de sites qui le citent, une bonne méthode est l'échange de liens : repérez les sites qui ont le même domaine d'intérêt et proposez à leurs webmaster d'établir un lien vers leur site, pourvu qu'ils fassent de même pour le vôtre.

Coup de loupe

Voici quelques sites d'aide au référencement parmi les dizaines que donne Google :

`www.referencement-gratuit.com/referencement-gratuit.html`

`http://referencement.espace2001.com/`

`www.referencement-team.com/referencement-gratuit.html`

Chapitre 11

Créez un blog

Dans ce chapitre

- ✓ Choisissez une plate-forme
- ✓ Créez des notes
- ✓ Jouez sur la présentation
- ✓ Les commentaires

Un *blog*, c'est un site particulier qui se présente un peu comme votre journal intime sauf que vous souhaitez avoir le plus de lecteurs possible. Le terme « blog » en résulte : c'est la contraction de *Web log*, c'est-à-dire « journal Web ».

Quelles différences avec un site Web ?

✓ Le blog est formé, non de pages, mais d'une suite de petites notes écrites au jour le jour et présentées en ordre inverse des dates d'écriture.

✓ Il n'y a pas besoin de connaître les langages du Web pour créer un blog : il existe des sites d'hébergement qui fournissent les outils nécessaires.

✓ Normalement, les visiteurs peuvent écrire des commentaires qui apparaissent dans le blog à côté de la note concernée.

Coup de loupe

Nos sites exemples pourraient-ils être sous forme de blogs ? Non pour les polyèdres qui est un site d'information où on n'attend pas de commentaires. Non pour l'association : une association peut avoir un blog, mais, dans notre exemple, nous prévoyons un site beaucoup plus développé. Un blog sert, par exemple, à un homme politique pour communiquer avec ses partisans, ou à une famille pour faire part d'événements familiaux ou partager des photos.

Choisissez une plate-forme

Les sites d'hébergement vous offrent tous les outils pour créer facilement un blog. Comme pour les hébergeurs de sites « normaux », la question « gratuit ou payant » se pose avec les mêmes conséquences : la gratuité impose les mêmes limitations, moins de possibilités et l'obligation d'accepter un peu de publicité.

Le site `www.clubic.com/article-67515-1-comparatif-plateformes-blogs.html` présente un comparatif de quelques plates-formes gratuites de création de blogs. Appelez-le et comparez. Il date de 2007, donc il peut s'être ajouté des nouveautés : cherchez « blog gratuit » sous Google ou autre.

ɔur notre exemple, nous choisissons ***canalblog*** :

- Appelez `http://www.canalblog.com`. Cliquez sur **INSCRIPTION** (en haut de la fenêtre).
- Remplissez le questionnaire qui est classique.

Création de votre compte

Avant de créer votre premier blog, remplissez le formulaire d'inscription ci-dessous.
Vous allez choisir un identifiant et un mot de passe qui vous permettront de créer et gérer votre blog en toute sécurité.

INFORMATIONS DE CONNEXION

Votre identifiant : * djdavid

Votre mot de passe : * ••••••••
6 caractères minimum. Utilisez lettres, chiffres et caractères spéciaux (!@#$%^&*?)
Sécurité du mot de passe : Faible

Confirmez le mot de passe : * ••••••••

Votre adresse email : * djdavid@univ-paris1.fr
Indiquez une adresse email valide. Une confirmation sera envoyée à cette adresse.

DONNÉES PERSONNELLES

Votre sexe : * Homme / Femme

Votre prénom : * Daniel-Jean

Votre nom : * David

Votre pays : * France

- Cliquez sur **Créer mon compte**.

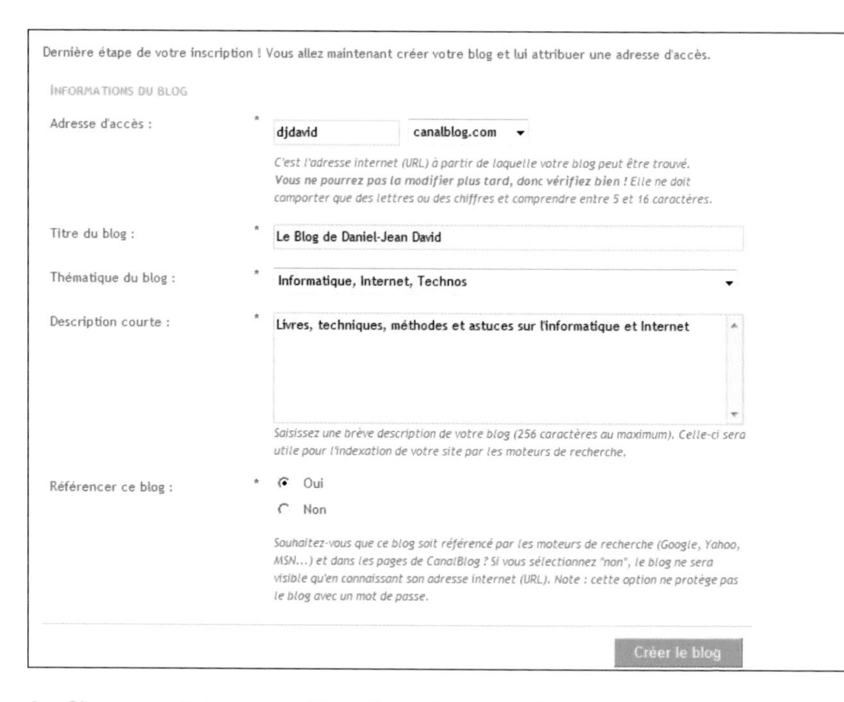

4. Cliquez sur **Créer le blog**. Vous allez maintenant créer une note.

Créez des notes

En régime normal, vous partez de la page d'accueil de *canalblog*.

1. Tapez votre identifiant et votre mot de passe, puis cliquez sur **Ouvrir session**.
2. Cliquez sur **Nouveau message**.

Coup de loupe

Dans la *blogosphère* (le monde des blogs), les termes « note » et « billet » sont synonymes. *canalblog* emploie le terme « message » pour désigner une note.

3. Préparez votre note et cliquez sur **Poster et publier**.

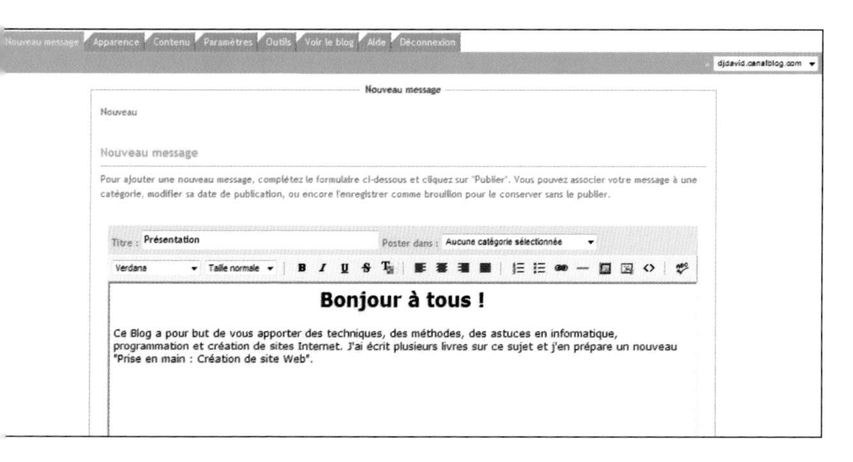

Pour voir l'effet produit, vous pouvez cliquer sur l'onglet **Voir le blog**. Dans notre exemple, nous allons plutôt procéder comme un simple visiteur qui appelle le blog, soit *http://djdavid.canalblog.com*.

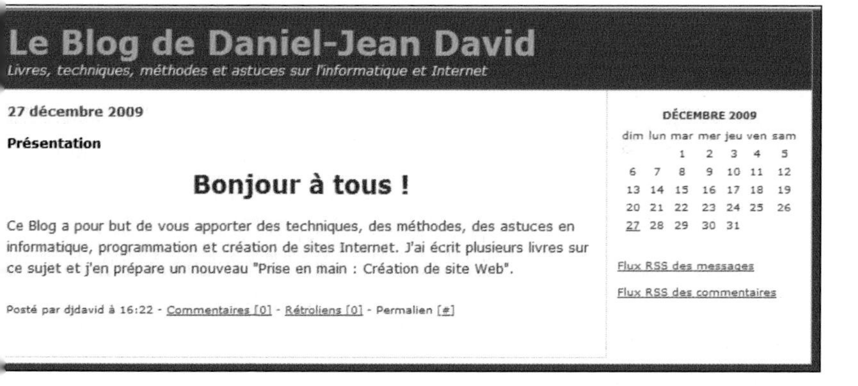

Jouez sur la présentation

evenez à l'écran Nouveau message. Dans notre exemple (voir la figure suivante), e note a été postée.

Tags associés à ce message : *(séparez chaque tag par une virgule)*

Brouillon Modifier la date

Rétrolien (Trackback)

Supprimer ce message | Poster & publier

Derniers messages postés

Titre	Auteur	Date			Supprimer
› Présentation	djdavid	16:22	Editer	Voir	×

Tous les messages de ce blog

Cliquez sur **Editer**. Vous revenez à l'écran de création du message. Vous pouv modifier le texte ou modifier sa mise en forme avec les icônes habituelles de traitements de texte ou de NVU.

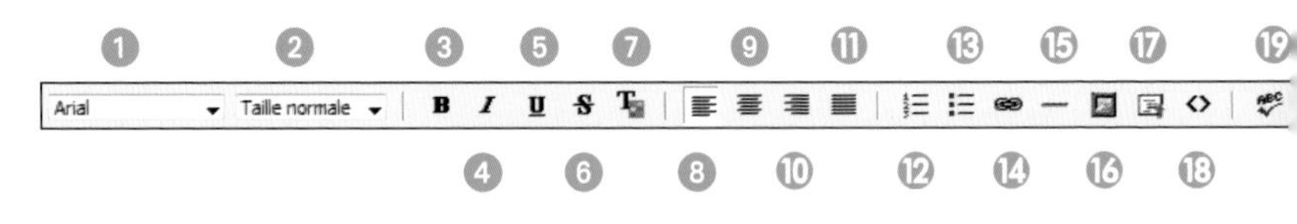

1. Police
2. Taille
3. Gras
4. Italique
5. Souligné
6. Barré
7. Couleur du texte
8. Aligner à gauche
9. Centrer
10. Aligner à droite
11. Justifier
12. Liste numérotée
13. Liste à puces
14. Insérer un lien
15. Insérer une barre horizontale
16. Insérer une image
17. Insérer un fichier
18. Vue HTML
19. Vérifier l'orthographe

Par exemple, sélectionnez le titre « Bonjour à tous » et mettez-le en roug Comme deuxième paragraphe, ajoutez le texte « Consultez mon site ». Cliqu sur l'icône lien et tapez l'URL voulue dans la boîte de dialogue.

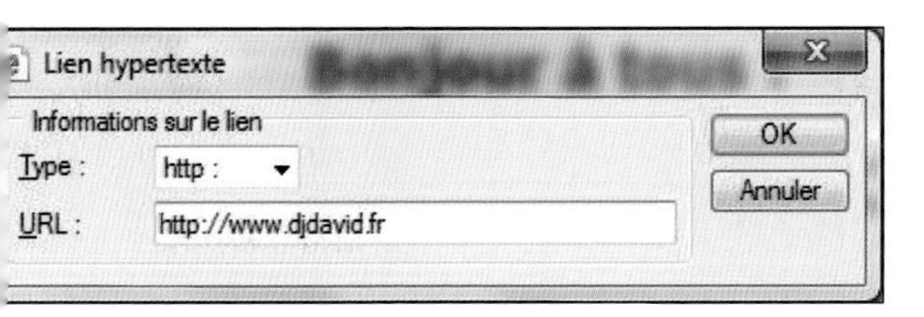

est facile d'insérer une image avec l'icône correspondante, nous vous laissons découvrir. Pour choisir le modèle général du blog et d'autres paramètres de ésentation et de fonctionnement, explorez l'onglet **Apparence**.

Coup de loupe

N'oubliez pas de cliquer sur **Poster et publier** pour que vos modifications soient prises en compte.

Les commentaires

s visiteurs du site peuvent faire un commentaire sur une note de votre blog en quant sur **Commentaires**. Ils doivent ensuite remplir le formulaire et cliquer r **Envoyer**.

Commentaires

Poster un commentaire

Nom ou pseudo :

Pat Hibulaire

Adresse email :

phibul5@gmail.com

Site Web (URL) :

Titre du commentaire :

Bravo !

Commentaire :

Cela fait longtemps qu'on attendait un tel blog !

Le blog affiche maintenant [1]. Pour afficher le commentaire, il suffit de cliqu sur **Commentaires**.

Posté par djdavid à 16:22 - Commentaires [1] - Rétroliens [0] - Permalien [#]

Commentaires

Bravo !

Cela fait longtemps qu'on attendait un tel blog !

Posté par Pat Hibulaire, 27 décembre 2009 à 17:58

Coup de main

Nous ne pouvons en dire plus faute de place. Reportez-vous à l'ouvrage *Blogs pour tous* de Yasmina Salmandjee, aux Éditions First.

Chapitre 12

Entretenez et faites évoluer votre site

Dans ce chapitre

- ✓ Mise à jour en ligne ou hors ligne
- ✓ Creéz un CMS (système de gestion de contenu)
- ✓ Utilisez le CMS
- ✓ Conclusion

Mise à jour en ligne ou hors ligne

Tout site doit évoluer avec le temps : des informations deviennent obsolètes c sont modifiées. Par exemple, un site auquel vous vous référez par un lien chan d'adresse, disparaît ou encore perd de son intérêt. Une fois le site créé, sa mai tenance est la tâche principale du webmaster.

La mise à jour la plus naturelle est dite hors ligne : on modifie une page en loc en agissant sur le fichier qui se trouve sur l'ordinateur du webmaster. Ensuit par FTP, on envoie la nouvelle version de la page sur le serveur où elle rempla l'ancienne.

Mais il faut considérer aussi la possibilité de mise à jour en ligne, c'est-à-dire étant connecté par l'Internet à la page à modifier. La modification peut être exp cite, consciente et volontaire – l'opérateur sait qu'il doit, par exemple, introdui le nom du nouveau président –, ou, au contraire, implicite – par exemple, le sto est diminué d'une pièce lorsque le visiteur vient d'acheter un produit.

Quels sont les avantages et les inconvénients de l'une et l'autre méthode ?

- ✓ **Délais.** La mise à jour automatisée en ligne est très séduisante et elle rédui considérablement les délais : dès que la modification est effectuée, le site es à jour. En revanche, dans le cas hors ligne, il faut passer par l'étape FTP (ce qui n'est pas très long). Souvent, le webmaster met plus de temps à obtenir les informations qu'à les insérer sur le site. Il est clair que, pour un site de vente en ligne, la mise à jour en ligne est indispensable. Le nouveau stock doit en effet être répercuté dès qu'une vente est faite afin que le produit n soit plus proposé si on vient de vendre le dernier.
- ✓ **Commodité.** Le fait d'éviter l'étape FTP est plutôt commode, surtout si de nombreuses pages sont mises à jour ; toutefois, un transfert FTP n'est tout de même pas mortel.
- ✓ **Sécurité.** Sur ce plan, l'avantage est du côté de la mise à jour hors ligne : on peut vérifier autant qu'on le veut les modifications effectuées avant qu'elles ne se retrouvent sur le site, et donc corriger toutes les erreurs commises. Naturellement, dans le cas en ligne, seules certaines personnes sont habilitées à apporter des modifications. De plus, l'utilisation de mots d passe assure que le site ne sera pas mis sens dessus dessous par des visiteu mal intentionnés.
- ✓ **Base de données.** Un site *dynamique* (on appelle ainsi un site à mise à jour automatique en ligne) est généralement associé à une base de données : toute page du site est construite au moment où elle est demandée à partir de la base de données par un logiciel qui s'exécute sur le serveur ; une aut

partie de ce logiciel met à jour la base de données lorsqu'il y a lieu. Celle-ci, qui est sur le serveur, ne peut pas être le système d'informations complet de l'entreprise, car ce serait trop imprudent. Elle ne peut en être qu'un extrait et la gestion du système d'informations ne peut se faire que hors ligne, chez le propriétaire du site.

Créez un CMS (système de gestion de contenu)

es CMS qui permettent la construction et la modification en ligne de sites Inter-
et se développent de plus en plus. Un CMS (*Contents Management System*, sys-
me de gestion de contenu) définit souvent un site communautaire car la base de
onnées gère un ensemble de personnes habilitées à modifier le site, les auteurs
les administrateurs, qui, ainsi, forment une communauté. Le site lui-même a une
ructure un peu restreinte puisqu'il est formé de rubriques, elles-mêmes consti-
ées d'articles. Il y a aussi quelques éléments auxiliaires, plus ou moins riches se-
n le système. Nous citons cinq tels systèmes, gratuits et fondés sur PHP/MySQL.

plus répandu est SPIP. K-SUP est spécialisé pour les universités et Tiki-Wiki
t un peu plus riche que SPIP, mais plus complexe. Il y a aussi Typo3 et Midgard.
ne fois acceptées les restrictions de structure, ils sont faciles à utiliser : ils ne
quièrent pas de connaissances en programmation. Parmi ceux qui ne sont pas
ndés sur PHP/MySQL, citons Zope, Plone et Nuxeo. ColdFusion est un système
yant de construction de CMS personnalisés. Un CMS gratuit apparu récemment
t WordPress ; il est en PHP/MySQL et est particulièrement utilisé pour créer
es blogs.

titre d'entraînement, vous allez construire un CMS très simplifié. Nous l'appe-
ns What's on. Pourquoi ce nom qui veut dire « qu'est-ce qu'il y a en cours ? » ?
rce qu'il est élémentaire, mon cher Watson ! (Oui, nous sommes fan de Sher-
ck Holmes…)

otre CMS est simplifié sur deux plans :

Le site à construire est très simple, avec la même présentation que le site associatif des chapitres précédents, avec un menu à un seul niveau de rubriques. La seule chose ajoutée en fin de chaque page est un formulaire de demande de modification de la page.

Personne n'est habilité à créer et modifier des pages : un seul mot de passe sera utilisé et, au lieu d'une base de données, on emploiera des fichiers .txt pour mémoriser les données nécessaires.

Voici les fichiers que vous avez en téléchargement dans le dossier *whatson*.

Le fichier sherlock.txt

Le fichier *sherlock.txt* (normal avec w(h)atson !) contient le mot de passe du sit
Il est créé au premier appel de *whatson.php*. Ce fichier n'existe pas dans le dossi
lorsqu'il s'agit d'une création de site : le site est créé avec le mot de passe fourn
le fichier existe dans le cas d'une modification de la structure du site ou des p
ramètres fondamentaux (couleurs, titre, bas de page) : son contenu sert à vérifie
le mot de passe fourni.

Le fichier *listmen.txt*

Le fichier *listmen.txt* contient la liste des pages sous la forme ::fichier,,titre.. L
caractères « : », « , » et « . » sont doublés pour faciliter l'analyse. Sa valeur actue
est affichée dans la textarea de spécification de la structure du site pour serv
de base à la modification. Il est initialisé à ::index.php,,Accueil.. car on a toujou
une page d'accueil.

Le fichier *commun.txt*

Le fichier *commun.txt* permet d'installer les <div> d'encadrement photo, de tit
de pied et de menu. Dans son état initial, les titres, le fichier image, le contenu
bas de la page et la liste du menu sont vides.

```
<!DOCTYPE html PUBLIC "-//W3C//DTD XHTML 1.0 Strict//EN"
 "http://www.w3.org/TR/xhtml1/DTD/xhtml1-strict.dtd">
<html xmlns="http://www.w3.org/1999/xhtml">
<head>
  <meta content="text/html; charset=UTF-8" http-equiv="content-
type" />
  <title></title>
  <link rel="stylesheet" type="text/css" href="feuilsty.css" />
</head>
<body>
<div id="photo"><img src="" /></div>
<div id="titre"><h1></h1></div>
<div id="pied"></div>
<div id="menu">
<ul></ul>
</div>
```

e fichier feuilsty.css

fichier *feuilsty.css* est presque identique à celui que nous avons vu au chapitre 6. uelques paramètres overflow sont modifiés (plutôt mis à auto). Dans son état itial, les couleurs de texte et de fond des encadrements sont vides.

```
body {font-family: arial, helvetica, sans-serif; color:;}
#photo {width: 20%; position: absolute; top: 0; left: 0;
background-color:; height: 20%;}
#photo img {height: 100%; margin-left: 20%;}
#titre {width: 80%; position: absolute; top: 0; left: 20%;
background-color:; height: 20%;
 overflow: hidden;}
#menu {width: 20%; position: absolute; top: 20%; left: 0;
height: 70%; background-color:;
 overflow: auto;}
#page {width: 80%; position: absolute; top: 20%; left: 20%;
height: 70%; overflow: auto;}
#pied {width: 100%; position: absolute; top: 90%; left: 0;
background-color:; height: 10%;
 overflow: auto; font-size: 70%;}
#titre, #pied {text-align: center;}
```

e fichier *whatson.php*

fichier *whatson.php* présente le formulaire de création ou de modification du te. Outre le mot de passe, il permet de spécifier le titre du site, les couleurs de xte et de fond, le fichier image ou le logo en haut à gauche, le texte du pied de ge et surtout la liste des fichiers pages avec leurs titres. En mode modification, un paramètre est laissé vide, il sera inchangé.

```
<!DOCTYPE html PUBLIC "-//W3C//DTD XHTML 1.0 Strict//EN"
 "http://www.w3.org/TR/xhtml1/DTD/xhtml1-strict.dtd">
<html xmlns="http://www.w3.org/1999/xhtml">
<head>
  <meta content="text/html; charset=UTF-8"
http-equiv="content-type" />
  <title>Le CMS élémentaire What's on</title>
</head>
<body>
<h1>Le CMS élémentaire What's on</h1>
<h2>Création/Modification du site</h2>
```

```
<form method="post" action="cremodsite.php">
<pre>
(Sauf pour le mot de passe qui doit toujours
être fourni, vide = inchangé)
Titre du site          <input type="text" name="titsit" />
Mot de passe           <input type="password" name="mp" />
Couleur texte          <input type="text" name="coltx" />
Couleur encadrement    <input type="text" name="colbg" />
Fichier logo ou image <input type="text" name="fimg" />
Bas de page            <input type="text" name="bas" />
Entrez sur chaque ligne::Fichier page,,Titre page..
</pre>
<textarea rows="30" cols="40" name="listpg">
<?php
$fl=fopen('listmen.txt','r');
$listmen=fread($fl,10000);
echo $listmen;
fclose($fl);
?>
</textarea>
<br /><input type="submit" value="OK" />
</form>
</body>
</html>
```

Le fichier ne fait que présenter le formulaire (remarquez <pre> qui permet d'a gner les zones d'entrée). La petite séquence PHP lit le fichier *listmen.txt* et l'affic dans la textarea où l'utilisateur spécifie la structure du site.

Le fichier cremodsite.php

C'est le programme appelé pour traiter le formulaire de *whatson.php*.

```
<?php
$fsit='sherlock.txt';
$titsit=stripslashes($_POST['titsit']);
$mp=stripslashes($_POST['mp']);
$coltx=$_POST['coltx'];
$colbg=$_POST['colbg'];
$fimg=$_POST['fimg'];
$bas=stripslashes($_POST['bas']);
$listpg=stripslashes($_POST['listpg']);
$f=fopen($fsit,'r');
if ($f===FALSE){      ❶
```

```
// création
  $f=fopen($fsit,'w');
  fwrite($f,$mp);
  fclose($f);
}else{
// modification
  $vmp=fread($f,100);
  fclose($f);
  if ($vmp!=$mp) {exit('Mauvais MP pour modif.');}
}
$fl=fopen('listmen.txt','w');
fwrite($fl,$listpg);
fclose($fl);
// feuille de styles
$fs=fopen('feuilsty.css','r');
$ts=fread($fs,5000);
fclose($fs);
$pd=strpos($ts,'if; color:')+10;
$pf=strpos($ts,';',$pd);
if ($coltx!='') {
  $ts=substr_replace($ts,' '.$coltx,$pd,$pf-$pd);}
if ($colbg!='') {
  for ($i=1;$i<=4;$i++) {
    $pd=strpos($ts,'nd-color:',$pf)+9;
    $pf=strpos($ts,';',$pd);
    $ts=substr_replace($ts,' '.$colbg,$pd,$pf-$pd);}}
$fs=fopen('feuilsty.css','w');
fwrite($fs,$ts);
fclose($fs);
// commun.txt
$fc=fopen('commun.txt','r');
$tc=fread($fc,50000);
fclose($fc);
if ($titsit!='') {
  $pd=strpos($tc,'<title>')+7;
  $pf=strpos($tc,'</title>',$pd);
  $tc=substr_replace($tc,$titsit,$pd,$pf-$pd);}
if ($fimg!='') {
  $pd=strpos($tc,'src="')+5;
  $pf=strpos($tc,'" />',$pd);
  $tc=substr_replace($tc,$fimg,$pd,$pf-$pd);}
if ($titsit!='') {
  $pd=strpos($tc,'<h1>')+4;
  $pf=strpos($tc,'</h1>',$pd);
  $tc=substr_replace($tc,$titsit,$pd,$pf-$pd);}
if ($bas!='') {
```

```
  $pd=strpos($tc,'pied">')+6;
  $pf=strpos($tc,'</div>',$pd);
  $tc=substr_replace($tc,$bas,$pd,$pf-$pd);}
// le menu et les fichiers pages
$men="\n";
$pd=strpos($tc,'<ul>')+4;
$pf=strpos($tc,'</ul>',$pd);
$p2p=strpos($listpg,'::');
while ($p2p!==FALSE) {  ❷
  $df=$p2p+2;
  $pvv=strpos($listpg,',,',$df);
  $dt=$pvv+2;
  $ppp=strpos($listpg,'..',$dt);
  $fpg=substr($listpg,$df,$pvv-$df);
  $titpg=substr($listpg,$dt,$ppp-$dt);
  $lmen='<li><a href="'.$fpg.'">'.$titpg."</a></li>\n";
  $men.=$lmen;
  $f=fopen($fpg,'r');
  if ($f===FALSE) { // init page ❸
    $f=fopen($fpg,'w');
    $t="<?php\ninclude('commun.txt');\n?>\n";
    $t.='<div id="page">'."\n<h3>".$titpg."</h3>\n";
    $t.='<!-- fin --><br /><br /><hr />';
    $t.='<form method="post" action="modpage.php">'."\n";
    $t.='<input type="hidden" name="fpg" value="'.$fpg;
    $t.='" />'."\n".'Mot de passe <input type="password"
name="mp" />';
    $t.="\n".' <input type="submit" value="Modifier cette
page" />';
    $t.="\n</form>\n</div>\n</body>\n</html>";
    fwrite($f,$t);
    fclose($f); }
  $p2p=strpos($listpg,'::',$ppp);  }
// écriture du menu
$tc=substr_replace($tc,$men,$pd,$pf-$pd);
$fc=fopen('commun.txt','w');
fwrite($fc,$tc);
fclose($fc);
echo "<h2>C'est fait</h2>";
?>
```

Coup de loupe

Les étapes sont marquées par les commentaires. Après la récupération des données du formulaire (remarquez les stripslashes pour gérer les caractères comme l'apostrophe), on distingue création et modification par l'existence du fichier *sherlock.txt* ❶.

Dans le traitement de la feuille de styles, on remplace la couleur ancienne (ou vide) par la couleur spécifiée. La couleur de fond intervient quatre fois. On utilise la fonction substr_replace et on l'utilisera encore dans d'autres étapes, notamment pour $tc, le texte de *commun.txt*.

Ensuite, vient l'analyse de la liste des fichiers pages et titres. Tant qu'il y a un double « : » ❷, il y a une page. On crée le lien $lmen à mettre dans la liste du menu (la chaîne $men constituera le fichier *listmen.txt*). On crée également le contenu initial du fichier page (réduit au titre et au formulaire de demande de modification de la page) seulement si c'est une nouvelle page qui est conçue, donc si le fichier n'existe pas déjà ❸. Sinon, on risque d'avoir un fichier page qui a déjà été complété et qu'on ramènerait à l'état initial.

Une fois que toutes les pages sont vues, on écrit le menu dans *commun.txt* et on affiche que le travail est terminé.

Le fichier *modpage.php*

```
<!DOCTYPE html PUBLIC "-//W3C//DTD XHTML 1.0 Strict//EN"
 "http://www.w3.org/TR/xhtml1/DTD/xhtml1-strict.dtd">
<html xmlns="http://www.w3.org/1999/xhtml">
<head>
  <meta content="text/html; charset=UTF-8"
http-equiv="content-type" />
  <title>Le CMS élémentaire What's on</title>
</head>
<body>
<h1>Le CMS élémentaire What's on</h1>
<h2>Modification de page</h2>
<?php
$qs=$_ENV['QUERY_STRING'];
if ($qs=='X') { // effectue modification
  $fpg=$_POST['fpg'];
  $tmod=stripslashes($_POST['tmod']);
  $fp=fopen($fpg,'r');
  $tpag=fread($fp,50000);
  fclose($fp);
```

```
  $pd=strpos($tpag,'<div id="page">');
  $pf=strpos($tpag,'<!-- fin',$pd);
  $tpag=substr_replace($tpag,$tmod,$pd,$pf-$pd);
  $fp=fopen($fpg,'w');
  fwrite($fp,$tpag);
  fclose($fp);
  // rappelle la page pour voir les modif
  $t='<meta http-equiv="refresh" content="';
  $t.='0; url='.$fpg.'" />';
  echo $t;
}else{ // prépare modification
  $fpg=$_POST['fpg'];
  $mp=stripslashes($_POST['mp']);
  $f=fopen('sherlock.txt','r');
  $vmp=fread($f,100);
  fclose($f);
  if ($mp!=$vmp) {exit('Mauvais mot de passe');}
  $fp=fopen($fpg,'r');
  $tpag=fread($fp,50000);
  fclose($fp);
  $pd=strpos($tpag,'<div id="page">');
  $pf=strpos($tpag,'<!-- fin',$pd);
  $tx=substr($tpag,$pd,$pf-$pd);
  $t='<form method="post" action="modpage.php?X">'."\n";
  $t.='<input type="hidden" name="fpg" value="'.$fpg.'"
 />';
  $t.="Entrez vos modifications en XHTML\n<br />";
  $t.='<textarea name="tmod" rows="30"
 cols="40">'.$tx.'</textarea>';
  $t.="\n".'<br /><input type="submit" value="OK" />';
  $t.="\n</form>\n</div>\n</body>\n</html>";
  echo $t;}
?>
```

C'est le programme de réaction à la demande de modification de page. La première fois, il est appelé avec l'URL modpage.php et, dans ce cas, il vérifie le mot de passe et affiche le formulaire permettant d'entrer le nouveau code XHTML de la <div> page (depuis <div id="page"> jusque devant < !-- fin -->). L'action de ce formulaire rappelle le même programme, cette fois avec l'URL modpage.php?X. Dans ce cas, le programme effectue la modification du fichier page et rappelle la page modifiée (il faut éventuellement demander au navigateur de rafraîchir l'affichage).

Coup de loupe

Le X qui suit le ? dans l'URL est récupéré par $_ENV['QUERY_STRING'].

Coup de main

Une des limitations de ce CMS élémentaire est que, pour modifier une page, vous devez entrer du code XHTML. Mais rien ne vous empêche de créer une page avec NVU, d'extraire le code XHTML généré et de le coller par **Ctrl+V** dans la textarea du formulaire.

Utilisez le CMS

Créez un site

Pour utiliser ce CMS, vous devez créer un autre exemplaire du dossier téléchargé *whatson* sous le nom convenant au site que vous souhaitez créer, l'envoyer chez l'hébergeur et donner (par votre logiciel de FTP) les droits d'écriture et d'exécution sur ce répertoire à tout le monde. Faisons-le pour un dossier *felins* (nous créons en effet un site sur les félins).

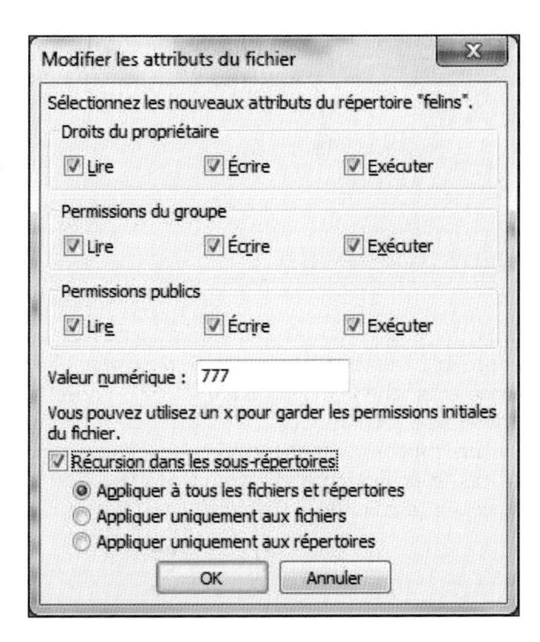

1. Cela étant, appelez `http://hebergeur/votre_site/felins/whatson.php` et renseignez les champs comme à la figure suivante.

Le CMS élémentaire What's on

Création/Modification du site

(Sauf pour le mot de passe qui doit toujours être fourni, vide = inchangé)

Titre du site	Les Félins
Mot de passe	●●●●●
Couleur texte	black
Couleur encadrement	rgb(255,240,240)
Fichier logo ou image	minou.jpg
Bas de page	 akatz@miaou.com

Entrez sur chaque ligne::Fichier page,,Titre page..

```
::index.php,,Accueil..
::chat.php,,Le Chat..
::panth.php,,La Panthère..
```

2. Dans Bas de page, on a entré `A. Katz <br /> akatz@miaou.com` (belle adresse e-mail pour un M. Katz !).

3. Après un clic sur **OK**, vous avez le message suivant.

C'est fait

Modifiez le site

1. Appelez votre site, *index.php* apparaît. Nous trouvons le rose trop pâle, donc nous changeons le rgb de la couleur d'encadrement, et nous ajoutons les pages Le Lion et Le Tigre.

Le CMS élémentaire What's on

Création/Modification du site

(Sauf pour le mot de passe qui doit toujours
être fourni, vide = inchangé)

Titre du site	
Mot de passe	●●●●●
Couleur texte	
Couleur encadrement	rgb(255,200,200)
Fichier logo ou image	
Bas de page	

Entrez sur chaque ligne::Fichier page,,Titre page..

```
::index.php,,Accueil..
::chat.php,,Le Chat..
::lion.php,,Le Lion..
::panth.php,,La Panthère..
::tigre.php,,Le Tigre..
```

- On a laissé vides les données inchangées. Voici la page d'accueil.

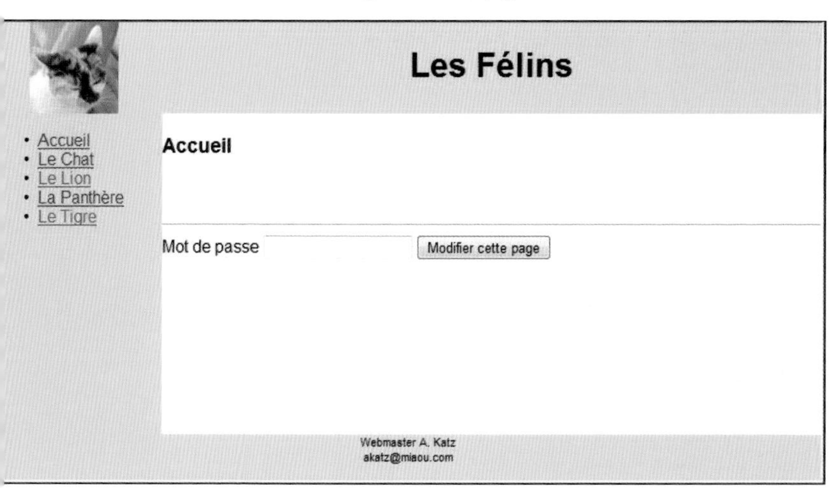

- Vous voyez qu'on a inséré une page entre deux dans la liste.

Coup de main

Pour supprimer une page, il suffit de la supprimer de la liste. Son fichier restera présent dans le dossier du site, mais il n'y aura pas de lien pour l'appeler. Dans l'état de ce CMS, vous pourrez toujours supprimer le fichier chez l'hébergeur par FTP.

Modifiez la page

Bien sûr, l'état initial est sommaire. Mais vous avez tout loisir d'utiliser la com mande de modification de page pour rendre vos pages aussi riches et complexe que souhaité. Puisque c'est du XHTML que vous entrez, vous avez toute la libert voulue. Vous pouvez insérer des images (il faudra envoyer les fichiers correspon dants par FTP), des formulaires, des tableaux, *etc*.

Vous pouvez écrire en PHP un programme capable de recevoir des fichiers, ce qu vous épargnera de passer par FTP. Pour en savoir plus, consultez *PHP – Atelier Web* de Daniel-Jean David, aux Éditions Ellipses.

1. Entrez le mot de passe (vous l'avez choisi à la création du site) et cliquez sur **Modifier cette page**.

Le CMS élémentaire What's on

Modification de page

Entrez vos modifications en XHTML

```
<div id="page">
<h3>Accueil</h3>
<h4>Ce site est le site de tous les
félins</h4>
```

2. Cliquez sur **OK**. La page apparaît modifiée. Passez à la page Le Lion, cliquez sur **Modifier la page** et entrez :

Le CMS élémentaire What's on

Modification de page

Entrez vos modifications en XHTML

```
<div id="page">
<h3>Le Lion</h3>
<h4>Le lion est le roi des animaux.</h4>
<br /><br />
<h4>La mygale n'est pas d'accord : </h4>
<h4>elle dit qu'elle est appelée à
régner !</h4>
```

3. Cliquez sur **OK**.

Les Félins
Accueil
Le Chat
Le Lion
La Panthère
Le Tigre
Le Lion
Le lion est le roi des animaux.
La mygale n'est pas d'accord :
elle dit qu'elle est appelée à régner !
Webmaster A. Katz
akatz@miaou.com

Coup de loupe

Vous avez en téléchargement trois dossiers : *whatson*, qui est le CMS que vous devez copier pour créer un site, *felins* qui est le fichier de départ pour suivre les manipulations que nous venons de décrire pour créer le site des félins, et *felins_site* qui contient le site des félins créé. Vous pouvez essayer d'ajouter des pages et d'améliorer celles qui sont déjà présentes. Rappel : vous ne pouvez faire fonctionner ces sites que s'ils sont implantés chez votre hébergeur, ce n'est pas possible en local.

our pouvoir modifier le site des félins, sans connaître le mot de passe, il suffit 'afficher le contenu du fichier *sherlock.txt* !

joutez un menu boutons 3D

la fin du fichier *feuilsty.css*, ajoutez (vous l'avez en téléchargement dans le fichier *uilsty_b.css* du dossier *felins_site*) :

```
#menu ul {margin-left: 0; margin-right: 10%; display:
block;}
#menu li {list-style-type: none;}
#menu a {text-decoration: none; background-color: silver;
line-height: 25px; text-align: center; display: block;
```

```
margin: 5px 0; border-width: 1px 2px 2px 1px; border-style:
solid;
        border-color: white gray gray white;}
#menu a:hover {background-color: rgb(160,160,160); border-width:
2px 1px 1px 2px;
        border-color: gray white white gray;}
```

Les rubriques du menu apparaissent comme des boutons qui semblent s'enfoncer au survol de la souris.

Coup de main

Voilà qui devrait vous persuader de l'intérêt des CMS. Bien sûr, vu son caractère élémentaire, celui-ci n'est pas WYSIWYG, mais pensez au conseil que nous avons déjà donné : vous pouvez créer une page, ou une partie de page, avec NVU, puis passer en mode vue HTML, copier la partie voulue du code HTML et la coller dans la textarea du formulaire de modification de page.

Une autre limitation de ce CMS réside dans le fait que l'on ne peut créer que des menus de navigation à un seul niveau ; les structures arborescentes ne sont donc pas possibles. Mais un seul niveau, c'est déjà bien. Dans notre livre *PHP – Ateliers Web* (Éditions Ellipses), nous enseignons la construction d'un CMS un peu plus élaboré qui permet de créer une structure arborescente à trois niveaux et qui répartit les pages en familles, avec un groupe de personnes habilitées à agir sur les pages de la famille, et pas sur les autres. Cela peut servir pour le site d'une organisation : seules les personnes d'un service peuvent modifier les pages qui concernent ce dernier.

Conclusion

Nous espérons que la lecture de ce livre vous aura été agréable et que cela vous permettra de créer facilement un très beau site qui vous soit propre !